A RECEITA DA VINGANÇA

Por
ALAN SANTIAGO

EDITORA PENDRAGON

Todos os direitos desta edição reservados à Editora PenDragon
Grafia atualizada segundo o Acordo Ortográfico da Língua Portuguesa de 1990, que entrou em vigor no Brasil em 2009.

Capa
Layon Rodrigues

Revisão
Barbara Cabral Parente

Diagramação
Josué Matos

Editor
Josué Matos

Catalogação na Fonte do Departamento Nacional do Livro
(Fundação Biblioteca Nacional, Brasil)
Santiago, Alan.
1. Literatura Brasileira. 2. Ficção
Vendas: www.editorapendragon.com.br
CDD: 869.93
CDU: 821.134.3(81)

ISBN: 978-85-69782-76-6

Rio de Janeiro – 2017, Rio de Janeiro.

Direitos concedidos a Editora Pendragon. Publicação originalmente
em língua portuguesa. Comercialização em todo território nacional.

Formatos digitais e impressos publicados no Brasil.

À minha noiva Thaís Ribas
Aos meus pais Graça e Cláudio
Ao meu querido irmão Anderson Santiago

AGRADECIMENTOS

Se hoje eu escrevo esse agradecimento, isso se dá por causa da influência que meus pais tiveram para que eu fosse apaixonado por livros e histórias. Obrigado amados pais por acreditarem no sonho de uma criança de 6 anos.

Obrigado Dudz por inúmeras vezes passarmos horas pensando em histórias, nomes para os livros, as capas e diversos outros projetos. Obrigado pela sua amizade e ideias.

Agradeço à Josué Matos e toda Editora PenDragon por ter acreditado e abraçado a ideia do livro.

À todos amigos e familiares que sempre me incentivaram e que compartilharam a minha felicidade com a realização desse projeto.

Gostaria de deixar registrado o meu especial agradecimento à brilhante Thais Ribas, que é o apoio fundamental e a força necessária que preciso para nunca desanimar.

Por último, agradeço aos leitores, espero que gostem.

Um grande abraço!

MEU PONTO DE VISTA

Minha filha, se você está lendo este diário, suponho que já tenha lido o primeiro que escrevi pensando em ti. Caso ainda não o tenha lido, não comece este apenas por curiosidade.

Este diário, ou livro, caso queira chamá-lo assim, só deverá ser lido se você estiver com algum problema muito grave em sua vida e não estiver conseguindo superá-lo.

Primeiramente, vamos distinguir quais os tipos de problemas que você irá aprender a superar ao ler a minha segunda aventura literária:

1) Namorado/marido que tenha te traído;
2) Conhecidos que tenham te sacaneado de forma que tenha lhe trazido consequências psicológicas;
3) Alguém que tenha prejudicado uma pessoa que você ame – não perca a cabeça por pessoas que não valem a pena –, no meu entender avós, pais e filhos apenas. No seu caso, os avós paternos ou filhos, pois nem eu ou a sua mãe estamos mais por

perto;

4) Se alguém de alguma forma ameaçar a sua vida.

Resumindo, leia o livro se você quer se vingar de alguém, mas só se essa pessoa realmente tiver feito muito mal a você.

Comecei a escrever o diário em abril de 2012, quando você tinha nove anos, cerca de um mês antes dos acontecimentos se iniciarem.

Em vez de escrever um livro de memórias, talvez tivesse sido melhor se eu ensinasse o que deve ser feito numa ocasião A ou B; até pensei em fazer dessa forma, mas poderia ficar desatualizado, e com a internet você encontraria formas de se vingar muito melhores e mais seguras, por isso, acho que contando a minha história entenderá mais profundamente o que é uma vingança e o que deve ser feito para executá-la de forma primorosa.

Dei início a este livro quando você tinha nove anos e demorei um ano para concluí-lo. Os fatos aconteceram quando você estava entre nove e dez anos, momento que acabei me ausentando um pouco da sua criação, mas se eu não o fizesse, talvez não pudesse curtir a sua companhia por muito mais tempo.

Como está no testamento cerrado que o seu avô fez, você só terá acesso a esta leitura quando tiver mais de dezoito anos; o livro foi guardado no cofre do advogado da família, junto a outros pertences, para que não fosse confiscado pela polícia ou alguma autoridade incompetente.

Talvez você descubra algumas verdades ao lê-lo; só não lhe contei antes os detalhes sobre a história da nossa família porque você ainda era muito nova e não compreenderia minhas ações e pontos de vista.

Lembre-se de que tudo que está escrito nas próximas páginas foram acontecimentos reais, nada foi inventado. Talvez pense que tive algum momento de loucura ou que eu esteja mentindo em algum pormenor; porém, posso afirmar que quando executei minha vingança, e depois, quando eu escrevia sobre ela, estava com uma paz de espírito que nunca tinha tido até então. Foi um momento de suprema felicidade e de paz interior.

Caso você não tenha tido nenhum problema e está lendo apenas por ler, mais uma vez eu lhe peço que largue este livro e vá fazer outra coisa. Vá se divertir, trabalhar, namorar, mas não continue! Você pode estar se perguntando o porquê da minha insistência para que não prossiga com a leitura: "Será que ele tem medo de eu me decepcionar com as suas memórias?". Não é isso, apenas acho que não é uma leitura recomendada para quem não precisa de ajuda.

Para finalizar esta introdução, eu gostaria de lembrar que a vingança não é algo perverso, é algo necessário, algo que faz você nascer novamente, aquilo que te dá esperanças, ou seja, é aquilo que, se usado de maneira correta, faz muito bem à alma. Para demonstrar que não é apenas um conceito meu, há inúmeras explicações sobre vingança que eu poderia colocar aqui para mostrar (caso haja alguma dúvida) que eu não sou um cara mau; apenas segui alguns conselhos de filósofos e pensadores para poder encontrar a minha paz, a minha passagem para uma vida de felicidade e alegria.

Para Aristóteles, a reação colérica frente a alguém que fez algum mal a outrem é justificável. Sendo que um homem honrado não deve aceitar, sob nenhuma hipótese, a injustiça. Por exemplo, se alguém que tenha o poder não consegue conter as formas de agressão, cabe a quem sofre achar a punição mais adequada.

Para ficar mais claro, irei transcrever as palavras de Aristóteles em sua obra, *Ética a Nicômaco*:

A justiça é a disposição de caráter que torna as pessoas propensas a fazer o que é justo e a desejar o que é justo. Dessa forma, a justiça é uma virtude completa ou é muitas vezes considerada a maior das virtudes. É uma virtude completa por ser o exercício atual da virtude completa, isto é, aquele que a possui pode exercer sua virtude sobre si e sobre o próximo. (...).

Louva-se o homem que se encoleriza justificadamente, tal homem tende a não se deixar perturbar nem se guiar pela paixão, mas ira-se da maneira, com as coisas e no tempo prescrito. A deficiência é a pacatez, e essas pessoas não se encolerizam com coisas que deveriam excitar sua ira; também são chamados de tolos e insensíveis.

Então, minha filha, tenha consciência de que a vingança é algo necessário quando somos deixados de lado pelos outros; não sou a favor da violência, mas quando ela se faz necessária, este é o único jeito de podermos dormir em paz.

Lembre-se de que as pessoas rancorosas são difíceis de apaziguar e conservam por mais tempo a sua ira; porém a cólera se dissipa quando revidam, pois a vingança as alivia, substituindo-lhes a dor pelo prazer.

SOZINHO E EU

Minha linda filha, não é agora que começo a contar como me tornei uma pessoa feliz, mas antes de começar devo fazer mais uma introdução. Essa nova introdução lhe mostrará o motivo da minha luta por vingança, e tenho certeza de que você me dará razão.

Seus avós são pessoas fantásticas, o mesmo carinho que eles tiveram por você tiveram por mim e por meus irmãos. Sempre estiveram junto a nós ajudando-nos a superar todas as dificuldades pelas quais passávamos. Nunca fomos uma família rica, mas também jamais poderei reclamar da falta de algo em minha vida. Se eu fosse um menino mimado ia reclamar que faltaram mais lazer e mais consumismo de supérfluos; mas educação, comida, saúde, moradia, roupa e outras coisas de necessidades básicas sempre tivemos.

Seus tios são pessoas maravilhosas também e me ajudaram em tudo de que eu precisava, mantendo-se sempre presentes em qualquer situação em minha infância e juventude. Brigas entre irmãos aconteceram e continuarão acontecendo, mas nada que obrigue um a se voltar contra o outro pelo resto de nossas vidas.

Porém, diferente dos seus tios, eu tive alguns problemas desde a minha infância. Sofri com a desordem de aprendizagem, ou seja, tinha dificuldades para aprender. Como na minha época de criança isso era tudo novo, meu transtorno não foi detectado. Alguns achavam que eu tinha retardamento, outros, que eu era um mero preguiçoso. Dessa forma, esse problema me fez ser o alvo principal das crianças das minhas turmas do colégio, algumas vezes até professores riam da minha cara, e como é normal para qualquer criança, eu fui ficando cada vez mais temeroso de ir ao colégio e interagir com qualquer pessoa. Até os alunos que poderiam se enquadrar como os esquisitões da sala zombavam de mim.

Sua avó foi chamada para conversar sobre o meu problema. Foi então que comecei a via-sacra por médicos, que me entupiram de tratamentos e drogas com o intuito de eu ter uma vida melhor, porém o estrago já havia acontecido, já tinha repetido a série. Como continuei no mesmo colégio, ainda era um dos personagens preferidos pelos valentões. Nunca contei nada aos meus pais, pois tive vergonha de demonstrar minhas fraquezas para eles, não os queria decepcionar, mais do que já vinha fazendo. Devido à falha cognitiva, ao TDAH e à dissonia, eles perdiam horas para cuidar de mim, além de dinheiro com medicamentos. Só descobri os transtornos citados acima quando cheguei à fase adulta.

Com o passar das séries, eu me distanciava dos colegas de sala, e assim só as pessoas mais esquisitas do que eu vinham conversar comigo. Logo surgiu o "grupo dos excluídos". Sinceramente, naquela época eu nem me importava, pois já não tinha interesse em conversar com ninguém. Na verdade, já tinha medo de me relacionar com qualquer pessoa. Não sei se teve a ver com essas questões, mas comecei a engordar muito.

Quando já era jovem, eu já havia melhorado muito as minhas dificuldades de aprendizado, confesso que algumas permaneceram, mas nada comparado ao que era na infância; talvez fossem as drogas, os psicólogos e outros tratamentos que me curaram, mas eu já estava na média da turma. No entanto, outros problemas apareceram: fiquei gordo, esquisito, cheio de espinhas na cara e desenvolvi o transtorno de personalidade esquizoide.

Com dezesseis anos, eu media 181 centímetros de altura, pesava cerca de 130 quilos, tinha os cabelos longos (altura do ombro). Tentei furar a minha orelha com a ajuda dos meus amigos e o resultado não foi muito bom, quase a perdi, tamanha a infecção que a deixou nojenta de tão feia. Não era roqueiro, mas me vestia como tal, aliás, nem sei se eles eram tão esquisitos assim, mas usava roupa toda preta. Andava com um chinelo de couro fedido, e a minha mochila era bizarra, feita de um pano amarelo imundo e que às vezes fedia, pois esquecia algum lanche dentro dela. Filha, você sabe como são os adolescentes, você ainda está nessa fase, é a hora que cometemos as maiores burradas da vida. Não pense que seus avós eram omissos, eles me enchiam o saco para mudar o meu jeito de ser, mas talvez por pena por eu já ser excluído pela sociedade, eles não quiseram me proibir de ser quem eu era. Enfim, sei que dei motivos para ser gozado pelo colégio inteiro, mas ninguém tinha o direito de fazer o que fizeram.

Esqueci quantas vezes fui xingado e julgado, inúmeras vezes apanhei, sem motivo algum. As meninas riam de mim, faziam cartinhas de amor apenas para me ver ficar horas esperando por elas nos locais onde marcavam nas cartas; com o tempo, aprendi que eu nunca iria receber uma carta de amor de alguma mulher.

Além disso, sempre tinha alguma caricatura minha nos banheiros, corredores...

Todos esses problemas eu fui aprendendo a absorver, achava eu, pois não tinha interesse nas pessoas, então não me importava com o que elas diziam ou pensavam de mim, pensava que tinha conseguido criar uma barreira de proteção.

Quando estava para acabar o segundo grau, eu não tinha decidido a profissão que queria seguir, não me interessava por estudar muitas coisas, apenas português e história, mas não via perspectiva financeira nessas duas áreas.

A única coisa na qual eu era relativamente bom era na cozinha, não que eu dominasse a técnica, mas podia dizer que tinha o dom. Inventava algumas receitas e sempre era elogiado, apesar de os elogios virem de familiares. Depois de muito receio, conversei com os meus pais sobre a possibilidade de eu estudar gastronomia. Tinha medo de a minha vontade ser mal vista por eles, mas, como falei, fui abençoado ao nascer nessa família, pois tive o apoio de todos, em especial dos meus pais, que sempre estavam na cozinha preparando deliciosos pratos doces e salgados. Vale lembrar que nessa época a profissão de chefe de cozinha não era tão "glamorosa" como agora em nosso país.

Na minha época, ainda não existiam cursos de graduação em gastronomia, e acabei me matriculando em diversos cursos profissionalizantes. O principal deles era na Escola Candanga de Culinária Contemporânea (ECCC), era o curso mais caro que existia em Brasília, e com os melhores professores.

Quando comecei o curso tinha vinte anos, ainda era uma pessoa esquisita e sem amigos, porém já via a necessidade de mudar a aparência, queria ser um grande chefe de cozinha e, principalmente, queria estar com uma mulher ao meu lado, pois não aguentava mais ser sozinho e dispensado pelas mulheres mais feias e esquisitas do Planalto Central. Minha primeira aula no ECCC foi muito interessante e apaixonante, mal prestei atenção aos meus colegas de classe, apesar da recíproca não ter acontecido. Com o passar do tempo, o contrário aconteceu, eu os observava, mas para eles eu era um nada, um lixo, um ser que estava ali apenas para servir de exemplo do que não ser na vida. Jamais em toda a minha existência fui tão humilhado, era o motivo de piada da minha turma, que tinha apenas dez estudantes. Além desses colegas de classe, nos dois semestres de curso tive mais dois professores e um coordenador que sempre me deixavam triste.

Apesar de todos os problemas pessoais, eu estava crescendo profissionalmente. Diferente da minha vida escolar, eu aprendia rápido sobre como preparar boas refeições. Já ganhava algum dinheiro com a venda de salgadinhos, doces e bolos para festas, minha mãe e eu sempre estávamos na cozinha com encomendas. E eram seus avós que iam fazer as entregas.

Voltando à época do curso, os meus contratempos não eram apenas os comentários velados, muitas vezes escancarados. Cheguei a servir de exemplo de como não podiam ser os nossos futuros clientes, de como não devíamos nos vestir, nos portar... Sempre havia algum motivo para rirem de mim. Várias vezes, eu os ouvi fazendo piadinhas sobre mim. Quando algo estragava ou dava errado, eles usavam o meu nome para adjetivar o problema.

Foi a pior época da minha vida. Aos poucos, vou contando os percalços que suportei, até suicídio passou pela minha cabeça, só não fiz em respeito à minha família, que me amava. Porém, comecei a me flagelar, a dor física era a única forma de passar a dor emocional. Até hoje tenho marcas de cortes nas pernas e nos pés, pois eram os lugares onde eu conseguia esconder dos seus avós. A única vez que eles perceberam um dos machucados, eu disse que aconteceu jogando futebol.

Nessa época, tive gastrite, meus cabelos começaram a cair, minha pele tinha várias erupções. Cada vez mais, eu estava esquisito, e dessa forma eu afastava as pessoas de mim. Só aguentei essa humilhação por dois semestres, aleguei aos meus pais que tinha que cuidar da saúde, o que era verdade. Diante disso, fui diagnosticado com um quadro grave de depressão, desenvolvi comportamento passivo-agressivo e em seguida transtorno de estresse pós-traumático. Meus pais gastaram mais dinheiro comigo, com remédios, médicos e psicólogos.

Quando larguei o curso, abrindo mão dos dois últimos semestres, resolvi mudar algumas coisas na minha vida: comecei a estudar em casa, comprava vários livros de culinária do Brasil e do mundo. Dediquei-me o máximo que pude, e os frutos começaram a aparecer, a minha fama ia crescendo, embora eu ainda fosse um "fantasma". Sua avó sempre me motivava a ir com ela nas entregas, mas eu sabia o quanto a reprovação dos outros me deprimia.

Uma noite, ouvi meus pais conversando sobre mim, isso me fez ficar pior ainda com relação a minha vida. Eles se preocupavam comigo quando morressem, tinham medo de eu me afastar mais ainda do mundo e, talvez, cometer algo contra a minha vida. A conversa que flagrei foi de extrema importância, pois percebi que o meu jeito de ser e a minha aparência deixavam as pessoas que eu mais amava na vida preocupadas. Então resolvi mudar alguns hábitos e a minha aparência.

Comecei a malhar, fazer dieta, levar a sério os pedidos do

dermatologista, gastroenterologista, enfim, segui à risca o pedido de todos os médicos. Em alguns meses, as mudanças já eram nítidas, não que eu tivesse me transformado num deus grego, longe disso, mas já estava mais com cara de gente normal. Minha pele estava bem melhor, meu cabelo parou de cair. Emagreci quinze quilos em dois meses.

Continuei indo ao psicólogo, já que o meu emocional estava muito deteriorado e não eram livretos de autoajuda que me recuperariam.

Com essas mudanças, fiz novas amizades. Apesar de nunca ter tido muitos amigos, tinha habilidade com as pessoas quando queria. Não que eu fosse carismático, mas era educado, paciente e sabia ouvir os outros. Conheci gente na academia, na natação, no judô, no inglês e principalmente nas encomendas, que continuavam a crescer. Como já contei no outro livro, conheci sua mãe no curso de inglês, e foi mais ou menos nessa época.

Com o passar dos anos, eu era um novo homem, com um ótimo emprego, com amigos, com uma esposa bonita, uma filha linda. Não era mais motivo de piadas, já era até invejado por alguns. Continuei a frequentar o psicólogo, ainda tinha feridas abertas, mas depois de dez anos de tratamento, sendo que por dois anos eu tinha me dado férias do psicólogo, eu resolvi parar de vez. Estava em processo de abertura do meu restaurante (mais à frente volto a falar dele), ainda continuava com a confeitaria, onde trabalhava com sua avó e sua mãe. Minha vida estava perfeita, não tinha nada do que reclamar, mas eis que então algo invadiu meus pensamentos e me desestabilizou emocionalmente.

Deixa eu te explicar, filha, para que você entenda o que a-conteceu. É comum falarem que quando alguém começa com algum ato de violência de uma hora para outra é porque essa pessoa teve um gatilho disparado, ou seja, algum motivo especial fez essa pessoa se desestabilizar e acordar algo ruim dentro dela que estava escondido em algum lugar da sua mente.

O meu gatilho foi o Facebook. Lembro-me de estar navegando pelo site e atualizando todos os cursos que fiz. Relutei bastante em procurar informações sobre a finada ECCC, mas, quando tive coragem de acessar a página, deparei-me com algumas pessoas da minha antiga turma tendo uma conversa animada sobre mim. Foram dois dias de conversa que consegui acompanhar, a cada nova mensagem tirava um *print* da tela. A conversa real, que aconteceu no final do mês de abril de 2012, foi a seguinte:

André: Boa tarde, amigos! Estava hoje recordando o nosso tempo de ECCC. Vocês lembram o nome daquele gordinho esquisito que fez dois semestres na nossa turma? Não lembro o nome, mas o apelido que nós demos era Monstro Espinhento rsrs (risos)

Clara Araújo: kkkkk vocês não prestam.

Patrícia: Se não me engano o nome dele era Haroldo Manoel.

André: Olha a Patrícia! Ela gostava do gordinho rs (riso), e puta que pariu, que nome é esse?

Patrícia: Tenho uma boa memória apenas, André. Não enche.

Lúcia Silva: Só lembro de uma vez que eu o tirei

da sala, pois ele estava cheio de feridas no rosto e eu não podia permitir que ele continuasse ali. Ele ainda tentou argumentar e foi embora todo nervoso.

André: Lembro esse dia, não tinha condição dele assistir as aulas. Ele deixava o ambiente insalubre rs (riso).

Patrícia: Não gosto muito de falar mal de ninguém, mas de fato ele era muito esquisito, uma vez sentei do lado dele e fiquei com medo de ele me comer (literalmente), ele ficava me olhando o tempo todo.

André: rsrs (risos), só podia ser literalmente mesmo, pois de outro jeito não tinha como, a barriga tampava tudo.

Clara Araújo: kkkkkkk, você é maldoso demais, Dedé.

Lúcia Silva: Será que ele virou cozinheiro?

Clara Araújo: Acho difícil, com aquela aparência, nem na limpeza de um restaurante ele conseguiria vaga.

André: Depois sou eu que tenho a língua ferina.

Patrícia: Acho que devíamos parar de falar essas coisas aqui no Facebook, ele pode ler essas mensagens...

André: Não falei que a Patty tinha uma quedinha por ele?

Lúcia Silva: Concordo com a Patrícia, não dá para falar certas coisas pelo Facebook.

Depois desse *post*, eles apagaram toda a conversa no Facebook e não sei o que mais foi conversado, mas essas poucas palavras já foram suficientes para que a minha raiva voltasse, e como não ia mais ao terapeuta, eu não tinha com quem desabafar. Você até pode achar que não foi nada demais, mas foi o suficiente para o transtorno de estresse pós-traumático voltar e, além disso, um detalhe que eu me esqueci de comentar, por três vezes em testes feitos pelo psicólogo eu fui diagnosticado com transtorno de personalidade sádica, porém só quando era colocado em situações de embates. Desconfio que essa minha personalidade floresceu.

No mais, aproveite a história, minha amada filha.

Beijos!

DESEJO DE MORTE

Depois de ler e reler tudo aquilo, eu ficava cada vez mais irritado e quase fiquei maluco, confesso que me deu vontade de imitar o William Foster, em *Um Dia de Fúria*.

Se eu fosse me vingar de todos que algum dia me fizeram mal, teria que fazer muitas pessoas sofrerem. Porém, como sou equilibrado, selecionei os piores, aqueles que mais mereciam a minha vingança.

As pessoas que decidi eliminar do convívio das pessoas boas foram:

Lúcia Silva – ela foi minha professora por dois semestres, nunca coibiu as ofensas que eu sofria; certas vezes, até participava delas e de um jeito muito pior, que era me usando como exemplo para tudo de errado que poderia acontecer no nosso meio de trabalho, mas pelo menos ela tinha um risinho sarcástico quando fazia uma piada de mau gosto. Na época, ela tinha um caso com o coordenador do curso, Juscelino Silva. Acredito que fui o primeiro a descobrir sobre eles, pois certa vez estava decidido a falar com Lino, como ele gostava de ser chamado, e ao chegar à antessala da coordenação consegui escutar o que eles conversavam, e os dois falavam de mim. Naquele momento, a minha expulsão estava sendo conversada, mas Lino era contra ela, pois não havia motivo para tal e, sendo assim, eu poderia processar o curso e ganhar muito dinheiro. Então, ele pediu a Lúcia "que ela continuasse o que eles tinham combinado: forçar a minha saída criando um ambiente insalubre para mim". Quando eles acabaram o assunto, Lúcia falou para Lino que o marido dela iria viajar, e com isso o esperava no apartamento dela "de braços e pernas abertas".

Pensei em abrir a porta e confrontar os dois, mas isso ia me causar mais dor de cabeça e, além disso, minha mãe esperava no carro, pois fui ter essa conversa no turno da noite, e não de manhã, horário em que eu estudava. Voltei para o carro e falei com a sua avó, disse que tinha conseguido resolver o que precisava, nem lembro qual foi a mentira que falei para ela.

Lúcia era bonita, devia ter 26 ou 27 anos na época, já o Lino devia ter uns 50. Os dois eram casados. Fuçando o Facebook dela descobri que os dois se casaram em 2002 e não tiveram filhos. Ou seja, sustentaram o romance escondido por no mínimo três anos. Não mereciam ficar vivos por muito tempo.

Patrícia Hiroshi – é a terceira pessoa da lista; na verdade foi uma decisão difícil colocá-la aqui, pois foi a única que algum dia chegou a conversar comigo. Não que ela sentasse do meu lado para bater papo, mas sempre foi a pessoa que ficava mais perto de mim. Então, você deve estar se perguntando por que ela está aqui.

Foi porque no momento que mais precisei dela, Patrícia virou as costas para mim.

Tudo aconteceu num trabalho prático. A turma era dividida em duplas e uma dupla devia cozinhar para a outra. Patrícia e eu devíamos cozinhar para Clara e André. Depois de decidirmos o que iríamos cozinhar e pegar todos os ingredientes, eu fui lavar as mãos; quando voltava para a bancada, Lúcia e a dupla adversária estavam em conferência perto dos alimentos selecionados. Quando cheguei até a bancada, a professora me perguntou de quem era o pote com amendoim moído que estava junto com os outros ingredientes. Falei que não era meu, então a professora perguntou para a Patrícia se era dela, o que foi prontamente negado. Então Lúcia afirmou que me viu mexendo em minha mochila depois de ter selecionado os alimentos. Respondi que realmente mexi, pois estava guardando o meu celular e voltei para a bancada sem nada nas mãos; por fim, falei que a Patrícia tinha visto. Lúcia questionou Hiroshi esperando a confirmação de que eu não tinha pego o pote da bolsa. Era visível a cara de encabulada da Patrícia, mas mesmo assim ela disse que não podia afirmar se o pote era meu ou não. Contudo, filha, você deve estar se perguntando qual o problema de ter amendoim moído. Acontece que Clara era muito alérgica a esse alimento, o que era do conhecimento de todos. Com toda essa confusão, Lúcia pediu que eu me retirasse de sala, pois não tinha ambiente para eu continuar lá, e disse que iria levar a questão à diretoria. Enfim, além de esquisito, fui tachado de não ser uma boa pessoa. Lembro que fui para casa chorando. Naquela época, tinha o emocional muito fraco, chorava com facilidade. Nunca soube de quem era aquele amendoim, mas tinha certeza de que todos os envolvidos naquele momento sabiam.

Sobraram duas pessoas para eu apresentar, e são as duas pessoas que mais me fizeram mal. São pessoas que fazem o demônio temer a morte delas, pois são capazes de virar os donos do inferno. São eles: André Antenor e Clara Araújo.

Se eu fosse listar tudo que os dois fizeram, o livro teria cem páginas a mais, mas vou resumir ao máximo.

Clara Araújo – tinha o estilo das patricinhas mais idiotas que só Brasília consegue construir; com certeza você sabe do que estou falando. As vezes em que ela falou comigo foi para dizer que eu não seria contratado nem para ser o contínuo do restaurante dela, que eu era a vergonha da sala e da minha casa, sempre de forma gratuita. Como não tinha forças para reagir, eu me afastava e não falava nada. Certa vez, ela foi sorteada para fazer dupla comigo num trabalho, então ela disse que preferia reprovar na matéria.

Não tenho provas, mas posso apostar a alma dela que ela espalhou o boato de que eu ficava escondido no banheiro feminino me masturbando. Nessa época, quando eu saía da sala para beber água ou ir ao banheiro masculino, a todo o momento, coincidentemente havia um bedel sempre próximo a mim.

Certa vez, a aula tinha acabado e eu me encaminhava para o ponto de ônibus quando um carro quase me atropelou e parou na minha frente, nisso desceu o namorado dela, falando que ia me matar, pois eu ficava me masturbando na frente dela. Clara, que estava no banco do passageiro, não dizia uma palavra. Depois de me empurrar e me derrubar no chão, o namorado dela cuspiu no meu rosto e disse que se eu voltasse a olhar para a namorada dele não haveria complacência, eu ia apanhar demais. Depois disso, sempre que terminava a aula, eu ficava esperando uns vinte minutos antes de ir embora.

André Antenor – só posso falar que qualquer morte dolorosa para ele será pouco para o mal que ele fez a minha alma.

CAPÍTULO 1
Adeus à infância

Como é perceptível, o André era a pessoa que mais falava mal de mim e o mais debochado. Então resolvi entrar na página dele para tentar descobrir onde ele morava. Ao acessar o perfil dele no Facebook, descobri que estava morando em Mount Vernon, Nova York, mais precisamente na Rua Washington; hoje as pessoas não zelam pela própria privacidade. Por coincidência, em duas semanas eu viajaria para Nova York para fazer um curso gastronômico de quinze dias, e ficaria outros quinze de férias, justamente na sua primeira viagem internacional, minha filha.

Pensei muito se iria ou não até a residência dele. Enquanto ouvia *Secrets*, de Herbie Hancock, pesquisei na internet e descobri que o tempo de deslocamento era de cerca de uma hora do meu hotel até a casa dele; meu intuito inicial seria apenas confrontá-lo, algo que já era inimaginável para mim, mas eu precisava disso, precisava combater todos os meus demônios.

Na primeira semana de curso, mantive minha cabeça ocupada com as aulas e com a cidade, pois já havia mudado algumas coisas desde a minha última estadia por lá. O que me ajudou a me distrair e, ao mesmo tempo, me deu a certeza de que me depararia com o André foi quando, no primeiro dia, encontrei com Carlos Durval, chefe de cozinha com o qual tive o prazer de fazer um *workshop* em Brasília. Na época, cerca de cinco anos atrás, mantivemos contato. Eu sabia que ele era *chef* nos Estados Unidos e morava em Nova York. Avisei-o de que estava indo para a ilha de Manhattan e combinamos de nos encontrar, já na segunda-feira, pois ele estaria na cidade resolvendo questões financeiras.

Conversamos bastante. Na época, ele já falava que iria investir em algum restaurante próprio na ilha. Carlos me disse que já tinha uma padaria e uma churrascaria. Tanto os seus negócios como sua casa ficavam em Mount Vernon, o Brasil em Nova York.

Numa quinta-feira, encontramo-nos novamente e fomos almoçar *fast-food* na lanchonete Five Guys, na 48 com a sexta. Não sou muito fã de comida *junkie*, mas tenho que tirar o chapéu para o local. Carlos me levou lá para conhecer redes de lanchonete diferentes das brasileiras. Durante o almoço, ele comentou que no sábado à noite faria uma reunião com chefes de cozinha brasileiros e alguns investidores na sua casa em Mount Vernon, e me chamou para participar do encontro. Durval me indicou o Radisson Hotel, que ficava na cidade de New Rochelle; apesar de não ficar em Mount Vernon, ficava a menos de dez quilômetros da casa dele e era a melhor acomodação da região.

Aceitei o convite de imediato, minha cabeça não parava de pensar no André nesse momento. Não tenho mais registro do que conversamos depois. Quando liguei para a sua mãe na quinta à noite, minha filha, falei sobre o convite e avisei que iria para a cidade na sexta à noite, para poder conhecer um pouco a região no sábado de manhã e à tarde, e no domingo iria para Yonkers, onde existe um grande *shopping center*.

Depois de falar com você e sua mãe, liguei para o hotel e fiz a reserva do quarto. Em seguida, resolvi entrar novamente no Facebook do André, para ver se tinha alguma informação se estaria ou não na cidade naquele final de semana. Desde que li a conversa na página da ECCC sempre entrava na página de todos, pelo menos duas vezes por semana. Não havia nenhuma informação de que ele viajaria. Continuei vendo as novas postagens dele e uma em especial, feita há três dias, me chamou a atenção. Ele postou a imagem de um monstro verde com a cara toda cheia de ferida e marcou todos da turma da ECCC, não citaram o meu nome, mas todos curtiram a foto, isso indicava que eu ainda era um dos assuntos deles.

Como a minha intenção era agredi-lo sem ser visto, achei prudente alugar um carro em New Rochelle para conseguir fugir mais rápido. Não tinha um plano definido, apenas pensei em ir até a casa dele e, de alguma forma, o acertaria e o machucaria muito.

Como falei antes, Mount Vernon é o local do Estado de Nova York onde tem uma das maiores concentrações de brasileiros. A cidade é a oitava maior do estado de Nova York, com cerca de 67 mil habitantes, sendo quase 1.500 brasileiros. A concentração de brasileiros é do outro lado de onde André mora, o que era bom para mim. Continuando a falar da cidade, a média de assassinatos por ano é de apenas seis. Porém, são 401 roubos a residências. Onze por cento do comércio tem alguma ligação com o ramo de alimentação. E o melhor, na época que estive lá – maio – costuma chover. Mais uma vez, os astros estavam me ajudando.

Na sexta-feira, o curso terminava mais cedo, por volta das 16 horas. Assim, às 17 horas já estava na Penn Station para pegar o trem com destino a New Rochelle. Cheguei à cidade um pouco depois das 18 horas e consegui alugar o carro bem rápido, já que a locadora era do outro lado da rua da estação. Paguei em dinheiro, pelo menos foi isso que os seriados americanos me ensinaram. O hotel ficava a menos de cinco minutos da locadora. Antes das 19h30, já estava no meu quarto.

Depois de tomar banho, arrumar as coisas e falar com a sua mãe, às 21h30, estava fazendo o pedido no restaurante Yoshino Asian Fusion, onde Ethan Hobbs era o chefe de cozinha. Ethan, minha filha, era o marido do André, e outra vez a internet estava a meu favor.

Estacionei o carro a uma quadra de distância do restaurante, não queria que ninguém visse o veículo.

Acabei o jantar por volta de 22h30 e, como a minha ida ao restaurante era para conhecer Hobbs, pedi ao garçom para falar com o chefe de cozinha, pois havia gostado bastante da comida. Fui levado até a cozinha para falar com o *sous chef*, Olaf Emmons. Apresentei-me como Manoel e falei que era chefe de cozinha. Conversamos um pouco e, antes de ir embora, perguntei sobre o *chef*. Fui informado de que ele estava fora da cidade até a próxima quarta-feira.

Não tinha como negar que a sorte estava ao meu lado. Os astros sabiam que a vingança era algo importante e justo. Ainda feliz da vida, resolvi antecipar a etapa que tinha deixado para sábado de manhã: achar a casa do André. Não seria tão difícil, graças a uma foto que ele postou no Instagram dois meses atrás; ele deu as coordenadas. A foto era de uma mercearia chamada de *Bani Food*

Market Corp. Na postagem, ele falava que era onde encontrava o melhor café da manhã da cidade, e a melhor dica foi ele dizer que a foto era da janela da casa dele.

Já havia procurado o endereço da loja no Google, só tinha uma na cidade. O GPS me indicou o caminho e o tempo de deslocamento, próximo de sete minutos. Morar numa cidade pequena tem suas vantagens.

Ao chegar ao mercado, virei à direita, na Rua Washington. Uma daquelas casas era a do André. Continuei seguindo de carro e dobrei o quarteirão, parando cerca de um quilômetro da quitanda.

Já passava das onze horas e chovia um pouco, as ruas estavam desertas, apesar das luzes acesas de algumas casas. Antes de sair do carro, pensei melhor e puxei o celular para fingir que estava conversando ao telefone. A delegacia da cidade ficava a um quilômetro dali, e como não havia ninguém nas ruas seria estranho ser encontrado andando pela vizinhança a pé; a polícia poderia logo me alcançar. Então resolvi passar de carro novamente pela rua e de lá ir para o hotel.

Antes de entrar na Rua Washington vi que apenas duas casas poderiam ser a do André, pois eram as únicas que tinham visão lateral livre para o mercado. Mas só uma tinha a angulação feita na foto. Dali, voltei para o hotel, tinha que baixar a adrenalina e traçar um plano para o outro dia. Até o momento, sabia apenas que ia esmurrar o André, mas não sabia como chegar até ele.

No sábado, acordei cedo, tomei um bom café da manhã e fui comprar luvas de látex e gorro, pois não podia deixar nenhum vestígio caso eu tivesse que entrar na casa dele, e queria algo para me disfarçar melhor. Também comprei uma capa de chuva preta, pois parecia que o tempo não iria melhorar e a chuva perduraria o dia todo.

Como já estava na rua, andei um pouco pela cidade. Resolvi fazer turismo para relaxar e almoçar por lá mesmo. Durante o almoço, entrei no Facebook e aceitei o convite para o evento do Carlos à noite. Fui ver os convidados, e o André era um deles, já tinha até confirmado a presença.

Meu coração estava disparado e eu sentia um frio na barriga. Iria encontrar meu nêmesis naquela noite. Fiquei com medo de ele ter visto o meu nome ali ou me reconhecer, mas logo o meu cérebro voltou a funcionar e lembrei que havia mudado um pouco meu nome de Haroldo Manoel para Harold Manoel Agate; talvez passasse despercebido, ainda mais que a minha aparência e físico mudaram muito desde aquela época.

Depois do almoço, voltei para o quarto e tracei todo o plano. Na sequência, decidi dormir um pouco para abaixar a adrenalina.

O evento estava marcado para começar às 20 horas, e foi nesse horário que saí do hotel. A ansiedade era grande, estava com frio na barriga. Quando estacionei o carro na rua de Durval, pensei em voltar para o hotel e desistir de toda a vingança. Porém, uma voz na minha cabeça dizia que se eu abandonasse a vingança naquele momento, só comprovaria que eu era um perdedor.

O bairro onde Durval morava era abastado, apesar de não ser um local de milionários. As casas eram maiores do que onde o André morava. Havia alguns carros estacionados na rua, mas nenhum transeunte. Enquanto me encaminhava para a casa, vi quando a porta foi aberta por uma senhora, com cerca de quarenta anos, morena, de cabelos curtos e com alguns quilos acima do padrão, mas nada que me impedisse de admirar o seu corpo. Seu sorriso era encantador, ela estava conversando com outro senhor, bem mais velho, que logo foi embora. Continuei andando em direção a ela e nos cumprimentamos. Logo me identifiquei para ela, que era a esposa do Carlos. Após confraternizar com Carlos por alguns minutos, ele me pediu licença para receber outros convidados, e eu fui me misturar. Tinha apenas um intuito, achar André e saber se ele me reconheceria.

Depois de dez minutos de reconhecimento do local, avistei André perto do bar. Então comecei a andar em sua direção, o coração palpitava em ritmo acelerado, acredito que eu devia estar branco, mas mesmo assim continuei andando. Parei ao lado dele e pedi uma cerveja ao garçom. Antes de receber a minha Utica Club, escutei:

— Você é uma das poucas pessoas aqui que eu não conheço. Brasileiro?

A voz continuava a mesma. André estava mais forte que na época que estudamos juntos. Ele era moreno e tinha cerca de 1,70 metro de altura. Sempre manteve o cabelo raspado, mas o que mais se destacava era a tatuagem de cobra no braço esquerdo. A tatuagem devia começar na altura do ombro, e o réptil ia se entrelaçando em seu braço, a cabeça terminava na mão dele. Afinal, parecia moda que os chefes de cozinha usassem tatuagens.

Depois de alguns segundos o analisando, a coragem de respondê-lo surgiu:

— Realmente você não me conhece, é a minha primeira vez na cidade.

— Então você não mora aqui. Mora onde?

— Estou só a passeio em Nova York, fazia tempo que não vinha aqui e sempre é bom visitar a região. Conheci o Carlos no

Brasil, e ele então me convidou para vir hoje aqui.

— Você é de onde no Brasil?

— Nascido e criado em Minas Gerais.

André caiu na gargalhada e emendou:

— E quem daqui não é mineiro?

Ri com a piada dele, e logo ele continuou a falar.

— Meu nome é André, qual é o seu?

— Manuel.

— Então, Manuel, faz o que no Brasil?

— Sou empresário.

André deve ter percebido que minhas respostas eram vazias.

— Estou fazendo muitas perguntas, não é? Pelo visto, você não deve conhecer mais ninguém aqui na festa, e o Carlinhos tem que fazer sala para todo mundo. Então, se quiser ficar conversando, te prometo que não farei mais perguntas pessoais.

Então ele riu novamente. Não me recordava que quando ele começava a falar ninguém mais conseguia abrir a boca.

Continuamos conversando trivialidades por alguns minutos. Nesse meio-tempo, bebi mais uma cerveja, enquanto André estava na terceira taça de vinho.

Meia hora depois de conhecer um André que eu nunca tinha visto antes – uma pessoa agradável, comunicativa e engraçada –, eu não sabia se ele havia mudado ou se estava usando uma máscara para dar em cima de mim.

Durante todo o evento, via as pessoas conversando sobre oportunidades na área alimentícia, falando das tendências, de números, de mão de obra. Participei de algumas dessas conversas e comprovei o óbvio, abrir um comércio alimentício nos Estados

Unidos era muito mais fácil que no Brasil, porém a concorrência era absurda.

Por volta de dez e meia, as pessoas começaram a ir embora. O perfil do pessoal não era de ficar até tarde bebendo e conversando.

Essa era a hora de colocar o meu plano em ação. Procurei André, que abriu um largo sorriso quando me viu, como se fôssemos velhos amigos, ou novos amantes, não sabia muito bem suas intenções, e então comentei com ele:

— As festas aqui acabam cedo, não é? Agora que comecei a beber, não queria parar logo. Não tem nada para fazer depois da festa?

Na verdade, só tinha bebido dois copos.

— Aqui é cidade pequena, as pessoas não gostam de ficar em festas. Porém, para sua sorte, você conheceu a pessoa mais animada da região. Também odeio voltar cedo para casa e ir dormir quando começo a beber. Eu tenho algumas cervejas e vinho em casa. Se quiser podemos ir para lá. Você está de carro? Aliás, onde você está hospedado?

Nesse momento, torci como nunca para que ele estivesse de carro, não queria provas de que ele esteve no meu carro.

— Acho a ideia de ir para sua casa excelente. Com essa chuva, a melhor coisa é ficar num lugar quente e beber um bom vinho. Como aqui não tem hotel, tive que procurar acomodação por perto, e como vou ficar apenas um dia na região, me acomodei no Ramada Yonkers, que é aqui do lado. Hotel é ruim, mas serve para deixar as minhas roupas. Estou de carro e, caso você também esteja, eu vou te seguindo até chegar à sua casa.

Os olhos do André estavam vidrados em mim, ele não

conseguia esconder o desejo e, apesar de não ser a minha ideia original, fazer com que ele sentisse interesse sexual por mim me ajudava a ter a vingança completa.

André percorreu os olhos pela sala e disse:

— O Carlos deve estar muito ocupado conversando com investidores, acho melhor irmos embora sem incomodá-lo.

Essa ideia dele foi ótima para nós dois; para ele, que não queria ser julgado pelo Carlos, que deveria conhecer o seu esposo, e para mim, que não queria ser a última pessoa a ser vista com o André.

— Você tem GPS no seu carro?

— Sim...

— Então, anota nele o meu endereço, não tem erro. Tenho que falar com uma pessoa antes de ir embora.

Ele me deu o seu endereço e me deu um cartão com o seu telefone, caso eu me perdesse.

Entrei no carro confiante. Melhor que não ser visto indo para o mesmo destino que André era não se despedir da festa ao mesmo tempo que ele. Porém, quando dei partida no carro, fiquei temeroso, pois ele poderia estar falando com alguém que estava indo embora com uma pessoa que conheceu na comemoração, dando o meu nome e descrição. Fiquei preocupado, mas não podia demonstrar medo outra vez.

Passados dez minutos, o carro dele parou em frente à sua casa, e ele claramente ficou olhando para a rua, procurando por mim, que havia estacionado na rua em frente; depois dei a desculpa de que não sabia se na rua dele podia estacionar, apesar de ter três carros parados lá. Depois de alguns segundos, saí do carro, não sem antes pegar as luvas e escondê-las no casaco.

Fui caminhando em sua direção. Ele me fez voltar para o carro, avisando que onde estacionei não era seguro.

Voltei para pegar o meu carro. De fato, era melhor posicioná-lo de maneira a ir embora o mais rápido possível.

Entramos e logo André foi buscar o vinho e duas taças. Brindamos. Ele avisou que teria que subir para acabar um trabalho que ele tinha levado para casa; isso para mim era desculpa, com certeza ele foi ligar para o marido.

No intervalo em que fiquei só no térreo, me dei conta de que havia cometido um erro grave na execução do plano. Ele sabia meu nome, sabia como me encontrar, e eu estava em terras estrangeiras, poderia ser preso por uma simples agressão. Quis inflar meu ego e acabei me esquecendo do que tinha em mente. Tentei ficar calmo e fui analisar a casa. Virei-me na direção da porta de entrada e, na mesa de canto, encontrei uma tigela com algumas chaves. Testei duas antes de achar uma que abrisse a porta da entrada. Guardei para usar mais tarde, pois pensei em ficar um tempo e, quando ele dormisse, eu voltaria para agredi-lo.

Resolvi andar um pouco no térreo e fui até o quintal, nos fundos da casa, e no fim dele havia um pequeno cômodo, já não chovia mais. Segui até esse cômodo, para ver se tinha algo que talvez eu precisasse. Ao chegar, liguei a luz e vi várias ferramentas, baldes, cordas, panos. Nada que me importasse no momento.

Voltei para a casa e André ainda não tinha descido. Resolvi me sentar na sala e esperar. O dono da casa pediu desculpas, depois de quase quinze minutos no andar superior, e serviu mais uma taça para nós. A primeira, eu havia dispensado na pia.

Conversamos mais um pouco sobre coisas fúteis e pouco interessantes.

Ele insistiu para que eu tirasse o casaco. Ao descer, ele estava de camisa colada e bermuda. Após eu tirar o casaco, ele ficou me olhando e disse:

— Você me lembra de alguém, só não consigo saber quem.

— Meu rosto é comum.

— Você disse que era mineiro, de que lugar?

— Sou de Juatuba, perto de Belo Horizonte.

Filha, lembrei-me de Juatuba de repente, pois foi lá que ficamos esperando o conserto do nosso carro quando, certa vez, viajamos de Belo Horizonte para Florestal, terra dos seus avós.

— Não conheço. Você nunca morou em Brasília?

Nessa hora, eu tentei não demonstrar meu nervosismo.

— Nunca morei, mas já estive por lá algumas vezes, mas sempre de passagem.

André continuou me olhando e parecia tentar buscar do fundo da sua memória de onde me conhecia. Sabia que ele estava próximo de me descobrir. Então tive que agir rápido. Com uma risada tímida e constrangida, falei:

— Essa é a cantada mais antiga do mundo. — Levantei-me e, como meu copo já estava quase no fim, continuei a falar: — Vou pegar mais vinho, pois a conversa logo ficará mais interessante. Você quer mais?

André agora ria de mim e me olhava de uma maneira lasciva que me despia com os olhos; ele balançou a cabeça afirmando que queria mais vinho. A garrafa ficava na mesa atrás dele. Peguei a sua taça e coloquei as duas sobre a mesa.

André começou a falar alguma coisa, mas entrei em desespero e comecei a apertar o seu pescoço, como em um Mata-Leão, e permaneci assim até ele desmaiar. Não tinha muito tempo para agir, já que logo ele acordaria.

Tirei seu sapato esquerdo e usei sua meia para obstruir sua boca. Tirei a camisa que ele vestia e a amarrei em sua cabeça, de forma que impedisse toda a sua visão. As cortinas a minha frente eram amarradas por uma corda, peguei duas das cordas e amarrei os braços e pernas dele. Enquanto eu acabava de amarrar, ele começou a acordar, e logo dei outro Mata-Leão nele, e nem precisei segurar muito para que ele desmaiasse novamente. Mas não podia ficar aplicando esse golpe muitas vezes, pois podia matá-lo dessa forma, e eu queria conversar com ele.

Levei-o para o centro da sala, onde não havia móveis próximos, e fui correndo para o cômodo do lado de fora, peguei as cordas e voltei.

André se contorcia e estava tentando gritar. Como estava correndo na sua direção, dei um chute no seu estômago para fazê-lo parar de emitir sons altos.

Liguei a televisão que tinha na sala e aumentei um pouco o volume para abafar os sons que vinham da casa. Voltei e dei mais alguns chutes nele, tomando o cuidado de não bater no rosto para não sangrá-lo. Não sei quantos chutes eu dei, mas foram algumas dezenas, tinha perdido totalmente a noção, a raiva tomava conta de mim. Ele já apresentava pouca resistência, então o amarrei melhor, tirei a camisa de seu rosto e passei uma corda para que a meia não saísse mais da sua boca.

No canto da sala havia uma pequena coluna grega, levei a minha vítima até ela e a amarrei ali. Depois de me assegurar que ele estava bem amarrado, fui até o meu casaco para colocar as luvas. Voltei para a sala, peguei as duas taças onde bebíamos o vinho e as lavei, sempre olhando para o André, que estava assustado e sem reação. Depois de guardá-las, peguei a garrafa de vinho e joguei o restante na pia. Coloquei a garrafa num saco de lixo que tinha separado. Também pus o tênis e a meia dele que eu havia tirado. Antes de jogar fora a camisa dele, usei-a para limpar minhas impressões digitais, pois lembrava perfeitamente onde tinha colocado a mão.

Depois de arrumar tudo, André estava chorando e me olhava como se pedisse perdão. Chegava a ser divertido ver alguém tão confiante ficar desesperado em poucos minutos.

Todas as cortinas estavam fechadas. Aproximei-me de uma janela para poder observar o vizinho da esquerda, tudo estava apagado no andar de baixo, já passavam das 23h30. Fui até o outro lado e estava tudo escuro também, o vizinho da direita era uma mecânica de veículos e morava em um sobrado. Do outro lado da rua, havia um prédio de três andares que ficava em frente à lateral da casa. Duas janelas estavam com as cortinas abertas, mas ninguém apareceu nelas, e a casa estava às escuras.

André continuava me olhando, então comecei a falar:

— Pensei que você fosse se lembrar de mim antes. Já sabe quem eu sou?

André balançou negativamente a cabeça.

— Meu nome é Haroldo Manoel, estudamos juntos na ECCC. Acho que agora você se lembra, não é? Ou será que preciso falar meu apelido? — Ele, com a cabeça, fez que se lembrava. — Você me fez muito mal, e hoje eu estou aqui para me vingar. Ainda não sei ao certo o que vou fazer com você, mas acredito que já estou me vingando um pouco de tudo que me fez sofrer.

Fui até a cozinha e peguei a maior faca que encontrei para intimidá-lo mais ainda, mas não lhe tirei a mordaça para evitar que gritasse. Sentei no chão, a sua frente.

— Agora vou tirar a mordaça e espero que você não dê um showzinho, até porque você tem uma voz ridícula. Vou te dar a oportunidade de demover a minha ideia de vingança.

Por alguns segundos, ele ficou me encarando, até que tomou coragem e falou com uma voz assustada:

— Eu imaginava que você era louco, mas não nesse nível. Você quer que eu te peça desculpas? Quer que eu chore? Talvez você queira que eu prometa não ir à polícia quando for embora?

Comecei a rir do discurso dele, talvez tenha sido uma risada de nervosismo, pois esperava que naquela situação ele fosse se tornar uma pessoa mais consciente e menos senhor de si.

— Acho que não é bom confrontar um maluco com uma arma na mão. Você é mais idiota do que eu esperava. Veja como são as coisas, você riu de mim por um ano por causa da minha aparência, e hoje você me desejava. Há quase quinze anos você se achava um ser muito superior a mim, agora me olha como um animalzinho de estimação que suplica por compaixão. Porém, o melhor de tudo isso é que quando estudamos juntos você queria que eu desaparecesse do mundo, e agora eu farei você desaparecer...

Nisso, filha, amordacei-o outra vez, com dificuldades, já que ele tentava se debater; peguei o pedaço de corda que estava ao meu lado, levantei-me e passei a corda pelo seu pescoço. Nesse momento, André começou a chorar. Esse era o momento ideal para eu começar a apertar a corda, mas ela arrebentou e eu quase caí. Depois disso, eu o desamarrei da coluna e comecei a aplicar mais um Mata-Leão, desta vez apertando por dez minutos, tempo suficiente para matá-lo.

Fiquei em pé, olhando para ele, mas nesse momento eu não conseguia enxergar nada na minha frente, a adrenalina estava disparada, o coração parecia que ia sair pela boca. A excitação tinha sumido e o medo me dominava. Depois de dez minutos andando de um lado para o outro na sala, consegui colocar minhas ideias no lugar. Resolvi que não poderia mudar nada do que tinha feito; Em nenhum momento pensei em me entregar, então procurei me acalmar e começar a limpar o local para poder ir embora logo.

· Fui até o cômodo que ficava do lado de fora da casa, para ver se estava tudo arrumado e apagar os meus passos, o caminho da casa até o quarto era pavimentado, se eu fosse pela terra ia deixar marcas. Ainda no quintal, olhei para todos os vizinhos e ninguém estava à vista, tudo muito calmo e tranquilo. A chuva começava a cair mais uma vez. Antes de entrar na casa, coloquei duas sacolas de supermercado em cada pé e voltei para a sala.

Limpei de novo os locais em que eu tinha tocado e fiz uma busca minuciosa para ver se achava algum fio de cabelo meu. Desliguei a televisão e comecei a organizar o que estava fora do lugar e separar o que eu tinha que jogar fora.

Tive a impressão de que André havia se mexido; nisso apertei o pescoço dele por mais alguns minutos. Tentei achar o seu pulso e sentir a sua respiração, mas não fui capaz de achar nada anormal. Ele já estava morto.

Fui até a cozinha e procurei mais um saco de lixo para colocar algumas roupas e objetos pessoais de André, já que ele iria "viajar" por um bom tempo. No andar de cima, entrei no banheiro e, sobre a cuba onde descansava a toalha de rosto de André, bordada com o seu nome, peguei a escova de dente, o barbeador, um perfume, o desodorante e remédios.

Havia três quartos na casa, fui até o quarto do casal e não tinha armários com roupa; em outro quarto havia um grande tapete estampado com a bandeira norte-americana. Procurei o terceiro quarto e nele havia um tapete com a bandeira do Brasil. Lá peguei quatro mudas de roupa, além de calçados e casacos. Enquanto mexia no armário, achei uma mala muito grande, onde certamente caberia o corpo de André.

Coloquei tudo no saco de lixo e desci levando o lixo e a mala. Uma vez no andar de baixo, tirei toda a roupa dele e o coloquei nu na mala. Estava com medo que algum cabelo ou suor meu tivessem caído na sua roupa.

Coloquei a roupa que ele usava no primeiro saco de lixo, junto com as cordas. Antes de fechar a mala, fiz alguns furos no corpo da mala com uma faca e fechei o zíper.

Por último tinha que me preocupar com o celular dele, pois se eu deixasse lá, seria algo suspeito, e se levasse comigo ou com o corpo, a polícia poderia rastreá-lo facilmente. Peguei uma panela e esquentei um pouco de água com sal, pois acreditava que poderia fazer estragar mais rápido, pura crendice minha. Também acreditei que a temperatura elevada da água faria o aparelho parar de funcionar de vez.

Depois de alguns minutos com a água fervendo, apaguei o fogo e tirei o celular para colocá-lo no congelador. Não ria de mim, filha, realmente não imaginava como fazer um celular parar de funcionar, sem ter que quebrar. Subi para pegar o carregador para colocar junto com os outros itens do primeiro saco de lixo.

Depois de dez minutos, tirei o celular do congelador e joguei no saco de lixo com as roupas e cordas que eu tinha usado.

Para completar o saco, tirei todo o lixo da casa.

Fui até a porta da sala e fiquei olhando para a casa da frente e para a rua, tudo estava tranquilo, aproveitei e levei o primeiro saco de lixo e coloquei na lixeira que ficava em frente à casa. A coleta acontecia todo dia pela manhã. O segundo saco eu coloquei no porta-malas do meu carro.

Voltei para casa, guardei a chave que tinha guardado comigo novamente no pote, já que usaria a chave do André. Depois fui procurar pelo mapa do celular algum lugar onde eu pudesse descartar o corpo. Havia um pequeno rio ao sul da cidade, o Rio Hutchinson; era um lugar onde eu poderia estacionar sem levantar suspeitas. Achei o lugar ideal, em frente a um boliche, pesquisei e descobri que o estabelecimento ficava aberto até as três da manhã, e ainda era 01h30, e nesse horário o local deveria estar mais vazio. Conferi tudo pela última vez, nada estava desorganizado ou sujo. Peguei a mala, apaguei todas as luzes, fechei a porta e sorri.

O boliche ficava a menos de dez minutos da casa do André, entretanto, não ficava mais em Mount Vernon, e sim no Bronx. Passei pela parte industrial e portuária das cidades. Quando cheguei ao local, como eu já esperava, não havia muitos carros na rua, dei uma volta no quarteirão para ver se tinha algum policial. Estacionei entre dois caminhões, quase em frente ao boliche, e observei a rua por um momento. As pessoas mais próximas de mim estavam a mais de trezentos metros de distância e conversando entre si. Peguei uma pequena lanterna que já estava no porta-luvas quando o aluguei, coloquei o gorro, a minha luva por cima da de látex e saí do carro para pegar a mala e adentrar a mata.

Caminhei em linha reta até a margem. Quando cheguei ao local, parei um pouco de me mexer e escutei atentamente o som do local, e nada indicava que tinha movimentação humana por ali; minha preocupação era de encontrar algum morador de rua na região. Quando me preparava para jogar a mala, olhei para a direita e vi a ponte que cruzava aquele pedaço da cidade. Resolvi ir até lá, pois era mais afastado, e imaginei que fosse mais difícil de encontrar o corpo. Fui caminhando por dentro da mata, para evitar deixar minhas pegadas na areia próxima à margem. O caminho era mais cansativo, sobretudo porque não queria deixar a mala encostar no chão em nenhum momento, justamente para dificultar a perícia da polícia, caso isso acontecesse.

Ao chegar quase embaixo da ponte, coloquei algumas pedras no interior da mala, com o intuito de fazê-la afundar mais rápido. Assim, joguei-a e empurrei-a o máximo que consegui para o meio do rio, onde acreditava que a profundidade fosse maior.

A mala foi afundando aos poucos, e como no local não havia correnteza ela se movimentou pouco até submergir completamente; eu esperava que o rio fosse mais profundo, mas fiquei com a sensação de que não era, porém não tinha mais como retirar a mala de lá. Só me restava rezar. Com a lanterna, fiquei procurando ao redor de onde a mala afundou, para ver se havia algum movimento, mas nada aconteceu de anormal durante os poucos minutos que fiquei por lá. Nenhum carro parou na rodovia, que é próxima ao rio. Voltei pelo mesmo caminho. Na ida, demorei quase uma hora para ir até a ponte, mas o caminho de volta fiz em vinte minutos, e tudo continuava tranquilo.

Antes de entrar no carro, mais uma vez fiquei observando o local, que já estava mais vazio. Algumas pessoas ainda estavam na rua, a maioria estava bêbada e interessada em flertar com os outros bêbados. Sendo assim, ninguém prestava atenção em mim ou onde o veículo estava estacionado. Antes de entrar, bati o pé para tirar o excesso de terra que tinha se acumulado no solado e parti com o carro.

Antes de iniciar a viagem de volta, resolvi descartar logo os pertences que tinha pegado na casa do André. Subindo a rua, na área perto das oficinas mecânicas, eu vi algumas caixas de papelão com lixo. Parei e peguei o saco de lixo no porta-malas. Não avistei ninguém do momento em que saí do carro e retornei. Em seguida, continuei a viagem de volta, mas percebi que estava perto da mecânica do Pablo. Realmente os brasileiros dominavam a região. O restante do trajeto, apesar de curto, parece ter demorado todo o resto da minha vida. A ficha começava a cair, meu coração estava disparado, não conseguia prestar atenção em nada, minha cabeça era um mar de pensamentos estranhos. Não sei ao certo o que sentia, tinha medo de ser parado pela polícia, estava triste por ter ultrapassado a linha da conduta religiosa que tive durante toda a minha vida, estava assustado com a possibilidade de ser preso, pois a verdade machucaria as poucas pessoas que me amavam; porém, quando passava por cima da ponte onde eu havia "enterrado" o André, um sorriso brotou em meu rosto, e fiquei feliz por ter feito uma pessoa como ele sofrer um pouco.

Poucos carros estavam na rua àquela hora, mas em dado instante cruzei com uma viatura da polícia. Estranhamente, não fiquei desesperado, apenas atento ao retrovisor para ver se eles retornariam para me perseguir, mas até a hora de chegar ao hotel nada me amedrontou ou me preocupou. Na verdade, fiquei mais relaxado ao ligar o rádio numa estação de jazz e reconhecer as melodias de *I Do It for Your Love*, do grandioso Herbie Hancock. Alguns artistas deveriam viver para sempre.

Ao chegar ao *lobby* por volta de 3h45 da manhã, mostrei o cartão do quarto e entrei depressa, ninguém ficou olhando muito para o meu rosto ou para o número do meu quarto. Porém, com certeza, se a polícia fosse perguntar algo para eles, todos se recordariam do homem que chegou de madrugada.

Domingo de manhã, separei toda a minha roupa do dia anterior para poder doar para algum mendigo que encontrasse na rua. Não podia correr o risco de ficar com qualquer coisa que pudesse me incriminar. Só tinha que comprar um casaco igual ao que estava na festa, pois era a única coisa pela qual alguém podia me identificar e que não tinha um substituto, visto que ninguém perceberia a diferença se eu usasse qualquer calça jeans, a mesma coisa para o sapato. Joguei minha luva de látex no vaso do meu banheiro e dei descarga, mais uma prova que não achariam.

Antes das oito da manhã, eu já tinha feito *check out*, praticamente não havia dormido, apenas descansei por alguns minutos.

Fui embora por dentro de Mount Vernon e parei para lanchar no centro da cidade, mas não passei por nenhum caminho que tinha passado no dia anterior, apesar da enorme vontade, e entendi o motivo de o criminoso sempre voltar ao local do crime. É apenas orgulho, pois queremos ver se o ato que cometemos já está repercutindo. Isso alimenta a alma.

Tomei o café da manhã na padaria do Carlos Durval, que não estava lá, e segui a pé até a padaria brasileira, que ficava na mesma rua; depois de trinta minutos, já estava novamente no carro e segui em direção ao *Cross County Shopping Center*, em Yonkers, como eu tinha prometido para a sua mãe.

Enquanto andava no shopping, mais conhecendo que comprando, pensei que devia haver algum objeto simbólico para comemorar o primeiro passo da minha grande vingança. Não tinha pensado nisso antes, mas achava importante ter algo que simbolizasse essa fase importantíssima para mim. Depois de alguns minutos refletindo, achei algo que funcionaria, há algum tempo pensava em comprar facas de cerâmica, existem algumas com cabos de várias cores. A primeira que comprei foi a branca, que representa a paz, já que o mundo estava um lugar melhor após a partida do André. Após o almoço, fui embora do centro comercial com destino ao Bronx, para devolver o carro.

Ao deixar o carro na locadora, perguntei se tinha que lavá-lo, pois tinha sujado o seu interior com barro, mas o atendente me assegurou que não precisava me preocupar, pois eles higienizavam sempre os veículos.

Para voltar para Nova York, tive que usar o metrô. Saltei duas estações antes da minha, encontrei um mendigo, para quem doei minha roupa. Ele me agradeceu muito e já foi colocando o novo gorro e o novo par de tênis.

Quase uma hora depois de deixar o carro na locadora cheguei ao quarto do hotel e, assim, pude dormir o sono dos justos.

Segunda pela manhã, tomei o café tranquilamente e fui para o curso, nada me aterrorizava, a paz reinava em minha mente e meu coração. Porém, depois do curso, comprei todos os jornais locais, um em cada banca, e ao chegar ao quarto do hotel li todos os noticiários policiais no jornal e na internet. Nenhuma linha sobre algo anormal no final da semana passada.

Na sequência, acessei o Facebook e fui direto para a página do André. Havia uma mensagem em inglês do seu marido, falando que estava com saudades e que na próxima quarta estaria em casa, e por fim dizia para ele atender seus telefonemas.

Foquei no curso durante o resto da semana. À noite, eu lia todos os jornais e acessava os sites locais. Quinta-feira à noite, resolvi monitorar as redes sociais, pois, com cinco dias de sumiço, já era hora de haver alguma mobilização dos amigos. Na página do André, tinha cinco mensagens de amigos, perguntando onde ele estava e pedindo para ele dar notícias. O grupo da ECCC também já estava preocupado; na página da escola, eles já se mostravam aflitos, dizendo que desde domingo ele não entrava no Skype e no WhatsApp.

No domingo que vocês chegaram, minha filha, saiu a primeira notícia, em um site de um jornal de Brasília. A manchete dizia: "Brasiliense desaparecido há uma semana nos EUA". A reportagem falava que ele era um famoso chefe de restaurante de uma pequena cidade de Nova York (não sei de onde eles tiraram o famoso). Afirmava ainda que o amigo que dividia moradia com o brasileiro informou que nenhuma entrada havia sido forçada, mas como o bairro era seguro as janelas costumavam ficar abertas. As únicas coisas que ele sentiu falta foram de algumas roupas e dos objetos de higiene pessoal. Mais adiante, a matéria informava que não conseguiram rastrear o celular dele. Continuando a matéria, um vizinho do brasileiro falou que no domingo tinha visto o André em frente a casa, com uma mala azul e entrando num carro esportivo amarelo, mas ele não sabia a placa ou o modelo.

Sempre tem alguém que vê alguma coisa, impressionante, não existe crime perfeito! Menos mal que o vizinho reforçou a hipótese de que ele tinha ido embora por vontade própria e ainda errou o modelo do carro, que não tinha nada de esportivo.

O final da matéria avisava que a polícia do condado o procurava, apesar de não haver indícios de crime, visto que tudo levava a crer que ele tinha ido embora por livre e espontânea vontade. Porém, eles iam rastrear o seu telefone e os cartões de crédito para se certificar de que estava tudo certo.

Para mim, essas informações transformariam o André em mais um número da triste estatística de centenas de americanos que desaparecem diariamente. Só tinha que torcer para nunca acharem a mala.

Durante todo o tempo que vocês passaram comigo em Nova York para curtirmos as nossas merecidas férias algumas notícias saíram no Brasil e em jornais locais do estado de Nova York, mas nada de relevante que pudesse revelar o verdadeiro paradeiro do André. A única hora em que fiquei com algum peso na consciência foi quando entrevistaram a mãe dele. A pobrezinha estava desesperada. Infelizmente, as mães sempre sofrem, mesmo que o filho não valha nada.

Apenas tive tempo para acessar o Facebook dois sábados após o desaparecimento de André. Todos os seus conhecidos, não falo amigos, pois duvido que alguém gostasse dele de verdade, estavam preocupados, alguns criticavam a polícia da cidade, porque demorou para começar a investigar. Só na terça-feira anterior, eles descobriram que outra pessoa tinha entrado no carro, e não o

André. Parece que havia outros fofoqueiros de plantão. A polícia suspeitava que não era o desaparecido devido à altura. Comecei a ficar preocupado, no entanto, em menos de 24 horas eu estaria voltando para o Brasil.

Clara era quem dava mais notícias sobre o colega; ela conversava com Ethan quase diariamente, segundo ela. A última informação que passara é que não havia movimentações nos cartões do André e que o celular estava constantemente desligado. Ethan disse que havia conversado com ele no sábado à noite, por volta das 23 horas, e André não deu nenhum indício de que estava preocupado ou com medo de algo, e depois da conversa ele afirmara que iria dormir. Para o marido do brasileiro, o que mais preocupava era que o senhor André Antenor, apesar de ter levado alguma roupa e produtos de higiene pessoal, escolheu uma mala muito grande, ou seja, desproporcional, e ele deixou o passaporte e outros documentos. Hobbs tinha dado uma geral na casa e notou que faltavam pequenas coisas, mas não podia precisar se sumiram na época do desaparecimento do marido ou se não tinha percebido antes a ausência daqueles objetos.

Por fim, Ethan não acreditava que ele tivesse fugido, pois estava tudo às mil maravilhas entre eles, e em dois meses iriam para Brasília para dar entrada ao processo de adoção. Por causa disso, ele contrataria um investigador particular, já que a polícia não estava se esforçando.

Felizmente, para você e sua mãe, os acontecimentos ocorridos em Mount Vernon não interferiram de forma negativa em nossas férias. Aliás, acho que vocês tiveram sorte, pois as cobri de presentes e tivemos momentos inesquecíveis. Acredito que pela primeira vez na minha vida eu sentia a felicidade plena.

Quando voltamos ao Brasil, a repercussão já tinha diminuído; ninguém dá importância para algo que não valha a pena. Fiz um *clipping* com as notícias que saíram, e foram dezessete no total incluindo jornais brasileiros e americanos, que relatavam as mesmas coisas: "Brasileiro desaparecido em Nova York", "Sem testemunhas", "Sem cena de crime", "Sem motivo para desaparecer". Resolvi não guardar essas notícias, muitos criminosos são pegos por causa da sua vaidade ao guardar coisas que podem incriminá-los no futuro, apenas pelo prazer de ver sua obra sendo comentada mundo afora.

No Facebook, as notícias eram mais constantes e as pessoas ficavam mais apreensivas por informações. Havia um grupo oficial: "Volta para casa, André". Uma vez por semana entrava lá para me atualizar, mas nada de relevante era revelado.

Filha, eu estava tão feliz e tranquilo, mas não podia me acomodar, pois tinha mais sujeira para tirar do mundo.

Patrícia Hiroshi, estou chegando!

CAPÍTULO 2
Um passo à frente

Depois do que fiz com o André, senti-me como se eu tivesse saído da infância e me tornado um homem de caráter formado. Impressionante como uma situação de vida, minha filha, é tão engrandecedora.

Empolgado, assim que cheguei ao Brasil comecei a montar o meu plano contra todos que me fizeram sofrer. Delimitei a ordem dos meus ataques e pensei no que poderia fazer baseado nas informações que coletava.

Como já havia definido antes, Patrícia seria a próxima, e não foi difícil encontrá-la, pois, igualmente ao André, ela era narcisista e gostava de mostrar ao mundo onde estava e o que estava fazendo.

Quando decidi colocar o meu plano em ação já era a segunda quinzena de junho. No dia 22, que era uma sexta-feira, entrei em seu Facebook, e em uma das postagens ela dizia que ia com as amigas no ParkShopping para ver o filme *E Aí... Comeu?* Ah, filha, sua mãe sempre reclamava que eu não a levava mais ao cinema, então resolvi convidá-la. Mais uma vez, a minha vingança me ajudava em outras áreas da minha vida.

Cheguei ao *shopping* com duas horas de antecedência, comprei o ingresso e ficamos passeando pelas lojas onde ela queria entrar; você sabe como a sua mãe gosta de perder tempo nesses locais.

Enquanto caminhávamos até o cinema, dei a desculpa de que eu queria comprar pipoca e evitar a fila. A Hiroshi e mais duas amigas tinham acabado de passar por nós. Ela tinha cabelos pretos e longos, media cerca de 1,60 de altura, tinha uma sobrancelha grossa para o padrão feminino, porém, de certa forma, era bonita. Vestia calça jeans e uma camisa comportada que cobria todo o seu dorso.

Elas também foram comprar pipoca; mas, por precaução, fiquei atrás de duas pessoas na fila. Embora conversasse com a sua mãe, eu não deixava de prestar atenção na minha colega de curso.

Na fila do cinema, que devia ter cerca de trinta pessoas, acabei ficando atrás da Patrícia. Apesar de ter olhado rapidamente para mim, ela não me reconheceu. Preferi não conversar muito com a sua mãe, com medo de a minha voz ser reconhecida.

Quando ela abriu a bolsa para pegar o celular, consegui ver as chaves do carro, pelo menos o chaveiro era da Peugeot. Ela digitou uma mensagem no WhatsApp:

Amor, vou entrar no cinema agora, o filme deve acabar perto de meia-noite, vou direto para casa depois. Amanhã, às 9h, nos encontramos no Quiosque do Atleta. Bjo.

Essa seria a oportunidade de ver o namorado dela de perto, pois ele poderia me causar algum problema na hora de executar o meu plano, então quanto mais eu conhecesse os meus adversários, melhor.

Dentro do cinema, sua mãe quis sentar no meio, e Patrícia sentou na parte superior da sala. Não gostei muito do filme, não sei se era devido à empolgação de ter achado minha outra presa ou se o filme era ruim mesmo.

No domingo, fui correr no parque; apesar de não ser um atleta, ocasionalmente ia correr ou caminhar por lá. Cheguei antes das nove e fiquei aguardando o casal, que chegou às 9h20. Patrícia sempre foi bonita e chamava muito a atenção. Além disso, tinha uma tatuagem gigante nas costas, de um dragão chinês. Não tinha como não a perceber.

Já o namorado dela tinha a minha altura, porém magro. Aparência normal, estilo *alguém que você vê na rua e nem percebe a existência.*

Fiquei a uma distância segura deles e com o boné tampando parte do meu rosto. Ela já tinha me visto ontem, não podia dar mole de mostrar o meu rosto outra vez.

Quando eles começaram a correr, fui atrás; mas como estavam num ritmo mais lento, logo os ultrapassei e não olhei mais para trás. Na hora de ir embora, ainda procurei por algum Peugeot, mas você sabe como os estacionamentos do parque são grandes, era impossível ver todos os carros. No meu campo de visão, avistei três, mas nenhum deles tinha cara de carro de menininha.

No começo da semana, continuei monitorando o Facebook e pensando como seria difícil entrar na vida dela, já que teria que ser rápido, pois se eu ficasse de conversa minha identidade poderia ser exposta para todos. Então, mais uma vez, as redes sociais me ajudaram. No domingo, ela postou que no dia 26 de junho teria que ir ao Fórum de Sobradinho no período da tarde e precisava de indicação de algum lugar para almoçar lá, visto que seria mais prático para ela.

Falei com a sua mãe na segunda que no dia posterior eu teria que ficar a tarde toda fora para resolver algumas questões com fornecedores. Não que eu precisasse informar a sua mãe de cada passo que eu daria, mas era mais cômodo mentir com antecedência a ser questionado sobre uma mentira e gaguejar na hora da explicação.

Na segunda à noite, entrei novamente no perfil de Patrícia; não vi nada anormal, pelo visto a ida para Sobradinho continuava de pé. A única atualização informava que ela estaria sozinha em casa na quinta, pois os pais e o namorado iriam abandoná-la, já que todos viajariam. Sendo assim, dali a três dias eu teria que agir. Depois do meu primeiro assassinato, pensei que estaria mais relaxado, mas a ansiedade mais uma vez tomou conta de mim, uma parte boba do meu cérebro dizia que eu não podia continuar com essa maluquice, porém o meu coração me mandava continuar com o meu plano de vingança.

No dia 26, acordei e te levei para a escola enquanto sua mãe se arrumava para o trabalho. Quando voltei para casa, já estava só. Meditei um pouco para poder relaxar e colocar a cabeça no lugar. Fiz algo rápido para comer e me arrumei. Não usava nada que chamasse a atenção. Peguei um bom livro, e às 11h40 saí de casa.

Dirigindo para o meu destino, comecei a pensar sobre o

que estava fazendo com a minha vida. Será que a vingança valeria a pena caso eu fosse preso? Ver a minha família decepcionada seria um fardo muito mais pesado de carregar do que o simples fato de eu ter sofrido todos os tipos de humilhações possíveis. Imaginar minha mãe e meu pai chorando e questionando onde eles tinham errado já machucava o meu coração. Porém, você, minha filha, era a minha maior preocupação. Se eu fosse preso nesse momento, você não entenderia muito bem o que tinha acontecido, mas as crianças do seu colégio iriam fazer piadas, e a probabilidade de você ter algum distúrbio psicológico decorrente disso seria grande. Comecei a chorar muito enquanto dirigia. Já me preparava para fazer o retorno e voltar para casa, quando um *outdoor* chamou a minha atenção.

Na foto, havia uma criança sentada no chão, abraçando as pernas e com a cabeça baixa. À direita estava escrito: "Levante-se! Fale! Acabe com o *bullying*." É nessa hora que percebemos que realmente existe a intervenção divina.

Parei de chorar na hora e continuei indo para o meu destino. Para relaxar mais ainda, selecionei uma música no iPod. A música era *Alone and I*, um jazz relaxante. Eu precisava ficar calmo, pois o nervosismo poderia me levar ao erro e causar a minha prisão. Tinha que continuar metódico e seguindo o plano. Alguns assassinos são pegos, pois não planejavam suas ações ou continuavam matando sempre, ou seja, a desorganização e a ansiedade acabam castigando o ser humano.

Eu era organizado e não era um assassino, no sentido exato da palavra. Hoje eu iria conhecer o carro dela e onde morava, e dois dias depois deveria eliminá-la para sempre.

Ao chegar à região do Fórum, vi que existiam três locais

próximos ao prédio onde qualquer um poderia estacionar. Porém, em Brasília, as pessoas tendem a estacionar na porta dos locais onde elas precisam ir, por isso apostei que Patrícia pararia no estacionamento de brita em frente à entrada principal do Fórum.

Andei cerca de quinhentos metros até chegar a uma área comercial e estacionei. Voltei andando até a parte de trás do estacionamento do Fórum. Já que eu não sabia quanto tempo ela demoraria para chegar.

A minha espera não foi maior que quarenta minutos. Nesse tempo, fiquei apenas andando e observando as pessoas. Um pouco antes das 13h30, Patrícia parou o seu Peugeot no estacionamento em frente ao Fórum, que estava quase lotado, e ainda havia duas vagas próximas à entrada dos carros. Ela vestia um *blazer* preto e saia. Os sapatos vermelhos contrastavam com a roupa preta que usava.

Assim que a sansei entrou no recinto, voltei tranquilamente para onde havia estacionado o carro, porém fui caminhando pelo outro lado; assim, o caminho de quinhentos metros se transformou em mais de um quilômetro; havia poucas pessoas na rua, o que é comum em Brasília. Demorei cerca de quinze minutos para chegar ao carro. Dirigi de volta ao estacionamento onde ela havia parado. Como era público e relativamente grande, fui para o mais longe possível do carro dela, porém onde eu ainda tivesse visão livre para quando ela chegasse. Um guardador de carro, como sempre, tentou me extorquir, mas falei que estava esperando uma pessoa e ficaria dentro do carro. Não consegui ler nada do livro que tinha levado, estava sem concentração para tal. Para passar o tempo, liguei o rádio e ouvia as notícias locais.

Antes das três da tarde, Patrícia apontou na porta do Fórum e desceu as escadas em direção ao carro. Entrou e deu partida direto, sem dar nenhum dinheiro ao flanelinha, que a xingou de todos os nomes possíveis e imagináveis; confesso que nesse momento até pensei em não seguir com meu plano, devido ao ato não nobre que ela acabara de sofrer.

Pela primeira vez na minha vida, comecei uma perseguição. Sempre achei que os filmes de Hollywood ou apelavam nessas cenas ou as pessoas nos Estados Unidos eram idiotas, pois às vezes só havia dois carros em uma noite escura, e o algoz ficava a uma distância de cem metros, e mesmo assim o perseguido era incapaz de perceber algo tão óbvio. Não era noite e não era filme, mesmo assim preferi ficar a uma distância segura, sobretudo porque andaria por um local sem muitos semáforos ou locais com entrada e saída de veículos. Usava a mesma faixa que ela, mas havia dois carros pequenos entre nós. Ela dirigia na velocidade da via, o que era bom, pois senão eu teria que aumentar ou diminuir demais a velocidade e seriam dois carros correndo como loucos ou atravancando o trânsito, como os milhares de idiotas de Brasília que insistem em dirigir lentamente na esquerda.

Até o Eixão Sul, o caminho foi tranquilo e em nenhum momento me aproximei demais, mas agora seria o trecho mais complicado da perseguição, pois ela entrou em uma quadra, e isso significava que eu teria que fazer *tesourinha*,[1] passar por sinais e talvez atravessar a W3 e estacionar depois que ela entrasse em casa, e isso tudo sem ser notado!

Ela subiu na 109 sul, uma das quadras mais emblemáticas

---

[1] Tesourinha é uma pista que dá acesso às superquadras, cortando o Eixo Rodoviário-Residencial e se assemelha a uma tesoura. (Nota do Autor)

de Brasília, um dia você descobrirá o motivo, minha filha. Fazer a tesourinha foi tranquilo, o trânsito não estava carregado, porém trouxe o problema de ficar mais próximo a ela, apenas um carro impedia a minha visão de ficar livre. No final da comercial, ela pegou a direita e foi em direção a 308/309 sul. Continuei com um carro de distância, e aparentemente tudo estava tranquilo.

Antes de atravessar a W3, ela virou para a W2. Confesso que isso me deixou um pouco nervoso, pois a quantidade de carros que pega a W2 a essa hora é menor e, como era previsto, não tinha mais carros entre nós dois; pensei que ela fosse parar em alguma loja ou em alguma academia. Porém, depois entendi o motivo de usar a W2; ela tinha que pegar o outro cruzamento para chegar em casa. A Asa Sul é mais complicada de andar, não tem a simplicidade e a lógica da Asa Norte.

Sabia que a perseguição estava no final. Quando chegamos até a 700, ela virou à direita no balão e entrou na primeira rua da 709. Essa seria a hora mais perigosa, pois era uma rua quase deserta e só havia os nossos carros transitando no local. Eu já havia colocado o boné e estava de óculos escuros. Já estávamos quase no final da rua, e a minha ansiedade começou a aumentar, então resolvi que iria parar no último estacionamento recuado dentro dos conjuntos, porém, duas casas antes de chegar nesse estacionamento, ela parou o carro. Era a penúltima casa à esquerda, antes do último beco que dava acesso à área verde do conjunto. Resolvi estacionar só no final da rua, em paralelo a alguma calçada. Estacionei e já saí do carro andando em direção a W3. Dei uma olhada para trás e vi que Patrícia acabara de estacionar dentro de casa. Andei um pouco a pé e voltei para o carro. Passei numa velocidade normal pela rua e memorizei exatamente como era a casa, contudo não tinha como errar, pois ficava ao lado da única casa da rua que estava sendo reformada, e pelo visto ali seria o meu ponto de entrada.

Voltei para casa feliz da vida. Antes disso, passei em nossa confeitaria para dar um abraço nas suas avós e comprar um bolinho para comermos em casa à noite.

Passei calado 0 dia seguinte, era 27 de junho. Sua mãe me perguntou duas vezes se eu estava bem. Ela queria saber o motivo de eu estar triste, mal sabia ela que eu estava feliz, porém pensativo.

No dia que vivenciaria pela segunda vez o prazer de deixar a Terra um lugar mais habitável, lembrei a sua mãe que eu seria palestrante num curso de culinária numa faculdade de Brasília. Na verdade, era algo que já estava combinado há duas semanas, porém, desde segunda-feira passada, o compromisso já havia sido desmarcado pelo professor. Contudo, quando chegasse em casa falaria que a palestra não aconteceu, mas fiquei conversando com o corpo docente da faculdade, pois realmente tinha interesse em começar a ministrar aulas. Meu álibi em casa já estava pronto.

Às dez da manhã, fui ver as obras do meu restaurante e conversar com alguns fornecedores. Depois te busquei e fiz o almoço para nós. Quando você foi para o inglês, fui pensar no meu plano.

Iria sair de casa de calça jeans, uma camisa branca e um casaco marrom, mas na minha mochila levaria uma camisa azul-marinho de manga comprida, boné e luvas. Tinha que passar o mais despercebido possível. Deixaria o carro a duas ruas de distância e caminharia pela 900 até chegar próximo à casa de Patrícia, desceria pela área verde e tentaria invadir a casa dela entrando pela casa vizinha, que estava em construção. Levava comigo uma pequena lanterna e um canivete. A lanterna eu comprei numa loja de 1,99 próxima de casa, e o canivete eu já tinha. Quando acabasse o serviço daria a camisa, a luva e o boné para algum morador de rua. A lanterna eu jogaria em alguma lixeira no começo da Asa Norte. E, por fim, jogaria o canivete no lago do Parque da Cidade, caso eu o usasse.

Esse era o meu plano para a invasão; tinha uma ideia vaga de como a assassinaria e de como me livraria do corpo. Tinha que fazer tudo isso das 19h30 às 23 horas.

Saí de casa às 18h45, e em trinta minutos já tinha estacionado o carro. Troquei de roupa, logicamente sem ninguém me observar. Quando cheguei à rua de Patrícia, fui até a área verde e desci beirando o outro conjunto. Passei pela casa da minha vítima e vi que uma das luzes estava acesa e que a casa vizinha, a que estava em construção, encontrava-se apagada. As demais casas pareciam estar todas ocupadas, mas não havia ninguém nas janelas.

Caminhei até o beco e não notei ninguém me vigiando. Consegui subir o muro e pulei para dentro do terreno. Foi algo muito fácil, até estranhei isso. Será que tinha alguém dentro da casa? Será que havia câmera de segurança? Ou será que eu encontraria algum cachorro?

A resposta veio em segundos. O cheiro de urina de cachorro estava muito forte. Eles estavam na parte de trás e não me escutaram aterrissando no chão, pois pulei mais na frente. Porém, o meu medo de cachorro me fez abrir a primeira janela que encontrei, e então pulei de imediato para dentro da casa.

Liguei a lanterna e fui andando. Estava tudo sujo, cheio de material de construção. Procurei câmeras de segurança, mas visualmente não existia nenhuma. Andei pela casa toda e percebi que não havia condições de eu chegar à casa da Patrícia. Por isso, tive a ideia de subir pelo jardim de inverno da casa em construção e andar até a casa dela e ver se lá também existia um jardim de inverno, já que é algo comum nas casas de Brasília.

Quando cheguei ao telhado fiquei olhando ao redor e apenas duas casas, um pouco à frente da casa da Patrícia, possuíam o segundo andar construído. Uma das casas estava com as luzes acesas no andar superior, porém ninguém na janela. Caminhei, ou quase me rastejei, com cuidado pelo telhado e de olho em todas as casas, pois se alguém me visse ali eu teria que fugir imediatamente.

A casa da Patrícia também tinha jardim de inverno e era fácil conseguir entrar. Chega a ser estranho que algumas pessoas em Brasília se sintam seguras com essa arquitetura. Como estava tudo escuro na área do jardim da casa dela, pulei logo para dentro. Não fiz muito barulho.

Vinha um som do fim do corredor, que era o único local que tinha luz na casa. Nesse momento, também senti o cheiro de maconha dominando o ambiente. O som não estava tão alto, mas dava para camuflar os pequenos ruídos que eu podia fazer. Abri a porta do jardim de inverno e andei no sentido da saída principal da casa, mas para isso tinha que passar pelo corredor de onde vinha a luz. Olhei cuidadosamente o corredor e não encontrei ninguém, assim segui até a cozinha e área de serviço. Dentro da cozinha, liguei a lanterna e fui checar meu estado, pois poderia ter rasgado a roupa ou me ferido e nem tivesse notado. Fiz um *checkup* geral e estava tudo normal. Tinha deixado algumas evidências, porém muito pouco para ser descoberto pela polícia brasileira.

Na área de serviço, achei alguns fios de televisão a cabo que eu poderia usar. Encontrei a caixa de luz. Resolvi cortar a luz da casa, pois dessa forma traria Patrícia até mim. O quarto de empregada ficava ao lado da caixa de força, portanto me esconderia ali até ela chegar e então a surpreenderia. No quarto, achei um frasco de clorofórmio, decidi que usaria para desmaiá-la. Sendo assim, desliguei a caixa de força e esperei.

Em alguns segundos, Patrícia já estava praguejando no quarto. Passaram mais alguns segundos e percebi que ela caminhava pela casa com o isqueiro em mãos. Nessa hora, o pano já estava encharcado com o clorofórmio e, assim que ela parou em frente à caixa de força, cheguei por trás e fiz com que ela desmaiasse. Porém, não foi fácil, pois ela se debateu bastante. Ela devia malhar, visto que quase não consegui controlá-la. Mas depois de mais alguns segundos, ela caiu aos meus pés.

Amarrá-la não foi tão fácil como pensei. Os fios da tevê a cabo não permitiam fazer nós justos. Contudo, dei um jeito de amarrá-la. Aproveitei para botar um pano em sua boca e vendá-la com um pano de chão que estava na cozinha. Prendi as suas mãos no botijão de gás e os seus pés no tanque de lavar roupa.

Depois de prendê-la, e já com a luz ligada, comecei a caminhar com calma pela casa, no quarto dela. Tinha que pegar uma roupa, pois ela estava apenas de lingerie. Peguei uma calça jeans e uma blusa branca com a logo da Coca-Cola que estavam em cima da cama. Na cabeceira, tinha o cigarro de maconha que ela estava fumando, além de mais alguns pedaços espalhados. Desviei o olhar alguns centímetros e vi algo que chamou mais a minha atenção. Era um saco com um pó branco, e logo deduzi que era cocaína, devia ter uns dez gramas.

Minha filha, você sabe o quanto eu odeio drogas, não existe pecado maior que o uso de drogas. Ao ver essas drogas, eu delineei outro plano para eliminar a Hiroshi.

Juntei tudo e peguei o celular e a bolsa dela. Já estava saindo do quarto quando vi que o computador dela estava ligado e conectado ao e-mail dela e ao Facebook. Tive a ideia de deletar o Facebook dela, para evitar comoção na rede social. Quando fui deletar, vi que ela era a criadora da comunidade sobre a ECCC na rede social, então preferi não deletar nada. Apaguei as luzes e fui até a japonesa, que a essa hora já estava acordada e tentando se soltar.

Agachei-me ao seu lado e sussurrei em seu ouvido:

— Estou aqui por um motivo. Não irei violentá-la e nem fazer nenhum sadismo, porém, se você não cooperar comigo terei que te entregar à polícia. Caso você grite, terei que tomar medidas extremas. Garanto que você não sofrerá, mas parará de gritar em um segundo. Caso tenha me entendido, balance a cabeça. — E assim Patrícia fez. Continuei: — Vou tirar apenas a mordaça, nesse primeiro momento. Ao me responder tudo, eu tirarei a venda e te soltarei.

Tirei a mordaça e ela não fez nenhuma menção em gritar, estava assustada e sua voz, embargada no choro. Ela tentava me perguntar algo, porém só saía: "Por quê?".

Comecei a falar em voz calma e baixa:

— Meu nome é Jin Lee, você não me conhece, porém eu trabalho para uma pessoa que no momento está com muita raiva de você, pois ele estava esperando que você pagasse as drogas que consome.

Parei de falar, e Patrícia demorou alguns segundos para entender que era o momento de falar.

— Como você entrou aqui?

— Isso não te interessa, vamos nos ater ao que realmente pode salvar sua pele. Acho que não faria bem para a carreira de uma advogada ser presa e fichada na polícia.

— Não estou entendendo, sempre pago tudo certo. Nunca deixei de pagar. Toda semana faço o pagamento ou o meu namorado vai lá pagar.

— Será que seu namorado está pagando certo?

— Lógico que está, ele é cliente antigo. Por causa disso, nos tornamos clientes VIPS e fazemos o pagamento semanal.

Patrícia já estava mais calma e o tom da sua voz já começava a se impor. Isso era o normal dela. Apesar de aparentar serenidade, ela conseguia impor o seu tom de voz quando queria ser ouvida. Ao ouvir esse tom, confesso que estremeci um pouco, porém não deixei me intimidar mais uma vez.

— Não sei por que mencionei o seu namorado, o nome dele não estava na lista dos maus pagadores, apenas o seu está. Me alertaram que você era inteligente, por isso me mandaram aqui hoje. Não irei mais te subestimar.

— Obrigada! Também não quero criar nenhum atrito, ainda mais na situação em que estou, mas acho que devo fazer essa pergunta. Não existe alguma possibilidade de terem colocado meu nome por engano nesta lista de cobrança?

— Bem, Patrícia, a possibilidade de terem errado existe, ainda mais que não fui eu quem fez a lista. Vou te fazer três perguntas que podem esclarecer isso. Então, preste muita atenção nas perguntas. Se eu fosse você, não mentiria em nenhum item, pois eu logo descobrirei que está mentindo, entendido?

— Sim.

— Qual o nome do seu principal fornecedor e onde você costuma comprar?

— Fabinho Boa Pinta, e ele fica na pracinha, no parquinho principal da Vila Telebrasília.

— Que drogas você compra com ele e qual o valor semanal da sua compra?

— Bem, só para não causar confusão, todas as vezes que fui lá estava com meu namorado, então a compra é para nós dois. Compramos mais maconha. Cocaína compramos com frequência também. Raramente compramos bala. Por mês, gastamos por volta de trezentos reais de maconha, uns quinhentos reais de cocaína. Bala, como é esporádico, quando compramos gastamos só cinquenta reais por dois comprimidos.

— Muito bem, Patrícia. Vou verificar suas informações e, assim, poderei fazer a última pergunta. Tem alguma coisa que você queira acrescentar nas suas respostas? Não costumo dar uma segunda chance.

— Não, tudo que falei é a verdade.

— Então, vou tapar sua boca outra vez e dentro de alguns minutos eu volto. Não tente nenhuma besteira, estarei te observando de longe.

Voltei para o quarto dela, o relógio já marcava 21h20, ainda teria que matar a Patrícia, desovar o corpo dela na Vila Telebrasília e voltar para pegar o meu carro.

Entrei novamente no computador dela, no site do Píer 21,

e busquei a lista de todos os filmes do dia. Deixei a página na tela, para quando a polícia fosse periciar o computador entendesse que ela realmente foi para o cinema.

Deixei o cigarro de maconha na cabeceira da mesa dela, e a cocaína eu coloquei na bolsa. Depois de matar Patrícia ia colocá-la em seu carro e ir para o Píer 21, onde jogaria o celular dela fora, depois iria despachar o corpo na Vila Telebrasília e voltaria para o Píer para estacionar o carro e pegar um táxi.

Com essa movimentação dela, a polícia poderia sugerir que ela foi comprar cocaína com algum traficante da Vila Telebrasília, e eles se encontraram no Píer e lá alguém a sequestrou, porém, sem levar o carro, e então o crime ia ser ligado ao tráfico de drogas.

Quando voltei para a cozinha, Patrícia estava imóvel me esperando. Fui logo a cumprimentando e tirando o pano da sua boca.

— Parabéns, suas respostas foram validadas. Contudo, tenho que fazer a última pergunta. Qual foi o seu maior pecado?

— Você está de brincadeira, né? Que tipo de pergunta é essa?

Comecei a rir e perguntei se ela não reconhecia a minha voz. Ela respondeu prontamente que não, mas que isso era irrelevante, ela não se importava com quem eu era. Ri de novo e falei:

— O seu maior pecado, senhorita Hiroshi, é se fazer de santa, se fazer de amiga, e quando precisam de você, a única coisa que sabe fazer é virar as costas e deixar que os outros sofram. Não adianta nada ser legal, ou tentar ser legal, mas internamente ser uma filha da puta como aqueles que sacaneiam de verdade.

Antes de concluir o meu pensamento, ela me cortou.

— Que porra de papo é esse? Quem é você?

Tirei a venda dela. Ela ficou me encarando. Percebia que ela buscava na memória quem eu era. Até que ela falou:

— Haroldo?

Sorri, mas um sorriso doce, angelical poderia se dizer.

— Sabia que você tem algumas virtudes, poucas, mas tem.

— Você está envolvido com o sumiço do André? Você vai matar todo mundo do curso? Você é um louco e burro, seu idiota de merda...

Não a deixei terminar de falar e logo comecei a apertar o seu pescoço com muita força. Poucos minutos depois, Patrícia não se mexia mais. Procurei um saco de mercado para colocar os panos e as cordas que usei. Depois de colocar tudo no saco, conferi o pulso dela. Estava morta.

Vesti a japonesa, o que não foi tão difícil, e coloquei o papelote de cocaína no bolso da sua calça. Depois fui para a garagem; o carro estava aberto e a chave na ignição. O controle da garagem estava no quebra-sol. Coloquei Patrícia deitada no banco de trás, junto com a sua bolsa. O celular ficou na frente comigo, junto a sacola com as evidências. E assim, apaguei todas as luzes da casa. Olhei pelo portão e aparentemente não tinha ninguém na rua e nas janelas das casas vizinhas.

Saí com o carro, fechei a garagem e segui o meu caminho. Desci para a W3 e fui em direção a 716. Já eram quase 22 horas e a noite estava bastante fria para os padrões de Brasília, melhor dizendo, para os padrões dos brasilienses.

Na parada da 712 não tinha ninguém esperando ônibus ou dormindo. Então parei o carro e joguei no lixo o saco com as evidências. Alguns carros passaram por mim, mas sem relevância. Aprendi que em Brasília ninguém olha para o lado, a menos que tenha uma batida de carro.

Dirigi até o Píer, o estacionamento estava cheio, como era corriqueiro. O estacionamento ao lado parecia mais vazio, embora tivesse muitos carros. Procurei o local mais escuro e deserto, sem ninguém dentro de algum veículo e sem flanelinha para me assaltar com a desculpa de que está tomando conta do meu carro.

Estacionei, desci com o celular da minha amiga nas mãos, coloquei na grama com a tela virada e me certifiquei de que ele estava bem coberto. Gravei mentalmente o local e fui deixar o corpo na Vila Telebrasília.

Nunca tinha entrado no bairro, porém tinha pesquisado no *Google Maps* antes de sair da casa dela, portanto sabia que o bairro não era muito grande e que no final dele havia uma mata, provavelmente onde eu a jogaria.

Entrei pela última rua do bairro. Esse era o caminho mais longo, mas não queria chamar atenção, pois o carro de Patrícia podia ser identificado.

Fui até o local onde havia imaginado, não havia ninguém na rua, diferente das outras do bairro, com muita movimentação àquela hora. Parei sob um poste sem luz. Obrigado, Sr. Governador. Saí depressa do carro, abri a porta do passageiro, arrastei o corpo da japonesa até a grama e a joguei por lá. O mato era alto e conseguiria esconder o corpo a noite toda. Tomei o cuidado para não pisar na terra sem mato. Voltei para o carro e fui embora pelo caminho mais próximo e que achava que era o mais movimentado, porém desta vez não vi ninguém na rua, no pouco pedaço de via dentro do bairro; e em menos de dois minutos já estava na via expressa.

Quando cheguei ao estacionamento consegui parar no mesmo lugar onde eu havia estacionando minutos antes. Espalhei as coisas da bolsa da Patrícia no banco de trás, joguei a chave na lateral de dentro, entre o banco e a porta, e a fechei, sem trancá-la.

Fui caminhando até a porta do Píer 21, por dentro do estacionamento, para evitar as câmeras de segurança. Guardei as luvas no meu bolso, onde já estavam o canivete e a lanterna. O boné eu coloquei dentro das minhas calças. Peguei o táxi e, apesar de odiar fazer isso, pois não é coisa de quem teve uma boa criação, sentei no banco de trás e fiquei de cabeça baixa mexendo no celular quase o tempo todo. Tinha que evitar que o taxista me reconhecesse posteriormente. O táxi me deixou duas ruas antes de onde estava o meu carro.

Já eram 22h50 e eu tinha que me apressar para chegar em casa sem levantar suspeitas. Na parada de ônibus do Setor Comercial Sul, o sinal fechou e aproveitei para estacionar o carro ali, pois havia dois mendigos no local. Um estava acordado e levantou o tronco quando eu me aproximei; perguntei se ele queria o boné, a camisa e as luvas – já tinha trocado de roupa no carro –, e ele balançou a cabeça positivamente. Quando fui entregar as roupas, falei que ele tinha que vestir tudo ali, na minha frente, senão iria achar que ele ia trocar por droga. Na hora, ele vestiu a camisa por cima da que usava, colocou o boné e as luvas.

Depois de quase dois minutos com os mendigos, voltei a dirigir em direção a nossa casa, filha, e quando cruzava a Asa Sul para a Norte, joguei a lanterna pela janela do carona no gramado embaixo do viaduto.

Abri a porta do apartamento exatamente às 23h12. Fui direto falar com a sua mãe e depois tomar banho. Não podia dar um beijo de boa-noite em você com o cheiro da morte em meus poros. Não sou um monstro.

CAPÍTULO 3
Eu pensei que era você

Acordei cedo, como de costume, para preparar o café da manhã. Estava mais interessado em ver os jornais matutinos. O jornaleco local de uma emissora vendida anunciou que o corpo de uma mulher havia sido encontrado num matagal na Vila Telebrasília. Meu coração disparou, a adrenalina tomou conta do meu corpo, porém, infelizmente, estávamos saindo e não pude ver a matéria.

Depois de te deixar no colégio e sua mãe na aula de pilates, fui para a reforma do restaurante. No caminho, fui trocando as estações de rádio, mas não havia nenhuma informação. Quando cheguei ao restaurante, falei com todos que precisava resolver uns problemas no escritório. Lá fiquei apertando F5 o tempo todo, porém poucas informações nos principais portais da cidade. A notícia era praticamente a mesma: "Jovem descendente japonesa, ainda não identificada, fora encontrada morta num matagal na Vila Telebrasília". Apesar de o bairro ser considerado problemático, não havia muitas mortes ali. A suspeita era de latrocínio ou acerto de conta por causa de drogas.

Passei o resto do dia resolvendo problemas do trabalho e procurando atualizações no jornal. No meio da tarde, o corpo já havia sido identificado e a polícia tinha algumas informações adicionais que ainda não tinham sido divulgadas para não atrapalhar as investigações, ou seja, as informações seriam divulgadas à noite durante o jornal de maior audiência na TV do Distrito Federal.

Ocupei o resto da tarde com o meu trabalho, o meu prazer não podia dificultar o meu serviço do dia a dia. Não ganhava a vida matando pessoas, e sim fazendo-as felizes.

Quando cheguei em casa, as duas mulheres da minha vida já se encontravam lá. O jantar estava quase pronto. Corri para tomar banho para poder jantar e ver o jornal local, pois estava ansioso para saber as notícias.

Uma das chamadas do jornal foi justamente sobre a morte de Patrícia, que já era assim chamada pelo âncora do jornal. Sua mãe, filha, comentou sobre o assassinato, dizendo que Brasília estava ficando cada vez mais perigosa. Continuei em silêncio, contemplando a comida, nem tinha olhado para o monitor ainda.

Continuamos jantando e conversando. Quando a reportagem sobre o assassinato começou a ser transmitida, foi mais ou menos o seguinte:

"Na manhã de hoje foi encontrado o corpo da advogada Patrícia Hiroshi no matagal à beira da última rua da Vila Planalto. A advogada morava na Asa Sul e estava sozinha em casa na noite anterior.

O carro da vítima foi encontrado abandonado próximo a um shopping da Asa Sul. Ele estava destrancado e a bolsa dela jogada no banco traseiro. O celular foi encontrado próximo ao carro.

A polícia trabalha com a hipótese de latrocínio, roubo seguido de morte, mas não descarta outras possibilidades.

Até o momento não há nenhum suspeito. Os vizinhos confirmaram que ela chegou de carro em casa por volta das 19 horas e que não a viram saindo.

Ninguém a viu estacionando o carro no Setor de Clube Sul e, também, não foi registrada nenhuma atividade suspeita próxima ao horário que o corpo foi possivelmente abandonado, entre 22 e 23 horas. A única suspeita da polícia é que o assassino ou assassinos podem ser moradores da região e estavam atrás de dinheiro para a compra de drogas."

A leitura que fiz da reportagem era quase fiel a essa, porém a outra possibilidade que a polícia não descartava era de ligação com drogas. Contudo, é complicado falar que uma jovem candanga, bem-nascida, da classe média, com tudo na vida, foi morta por causa de drogas e numa região pobre da cidade. Não é bem a cara da mídia brasiliense e brasileira.

Sua mãe, filha, fez alguns comentários irrelevantes de senso comum e todos fomos para a sala brincar e ver televisão. Antes de dormir, resolvi entrar no Facebook. A página de Patrícia era bloqueada, então não consegui ver nada, o perfil da Clara era público. E nele ela dizia que uma estrela subiu ao céu e que está muito triste com o acontecido e espera justiça. Enfim, todas aquelas baboseiras de senso comum, aquele discurso vazio tão presente nas pessoas hipócritas.

No dia seguinte, as notícias continuavam aparecendo, algumas diferentes do jornal do dia anterior. Agora falavam que a possibilidade de latrocínio estava quase descartada, pois a carteira dela não havia sido roubada, nem o carro. Afirmaram também que ela não fora violentada.

Estava tudo correndo bem. Antes de ir para o restaurante, passei numa loja e comprei mais uma faca de cerâmica para a minha coleção. Desta vez, comprei uma vermelha, que combinava com a Patrícia.

Quando cheguei à obra do restaurante, acessei os sites de notícias locais e tive o meu primeiro grande susto nessa minha busca por um mundo perfeito: Clara Araújo havia dado uma entrevista num blog de notícias.

Fiquei muito assustado quando li a chamada da entrevista. Clara afirmava que alguma coisa estranha estava acontecendo com um grupo de pessoas e que a polícia devia começar as investigações com base no que ela falaria na entrevista.

Minha filha, nesse momento, comecei a suar frio, o medo começou a dominar a minha mente. A partir daquela entrevista, eu tinha certeza de que era questão de dias ou semanas para a polícia ligar os pontos e eu ser preso. Por pouco não comecei a chorar. Fechei os olhos e meditei um pouco. Depois de alguns minutos, resolvi ler a entrevista, que transcrevo na íntegra:

O blog **Brasília Sem Violência** *teve o prazer de entrevistar a grande empresária Clara Araújo, dona de um dos mais conceituados spas de Brasília. Ela pode ser uma peça fundamental para ajudar a polícia a solucionar o assassinato da Patrícia Hiroshi, ocorrido há dois dias.*

Depois de um post de Clara no Facebook, o blog achou que havia uma notícia a ser divulgada e novamente os grandes veículos de comunicação, que só pensam em audiência, deixaram passar a informação. Vamos à entrevista:

BSV: *Boa noite, Clara. Antes de falar do seu post no Facebook, você era amiga da Patrícia? Como você está se sentindo?*

Clara: *Boa noite. Eu era muito amiga da Patrícia, estudamos juntas havia quase 15 anos e desde então nos tornamos amigas, confidentes, praticamente irmãs. Estou com o meu coração afogado em lágrimas. Não como nada desde que confirmaram que ela estava morta. Não sei se conseguirei me reerguer. Um pedaço do meu coração está vazio no momento. Desculpe o meu choro!*

BSV: *Vocês se encontravam todos os dias? Ela falou algo que pudesse deixá-la preocupada?*

Clara: *Não nos encontrávamos todos os dias, mas conversávamos pelo Facebook e WhatsApp diariamente. No dia de sua morte, conversamos. A última vez que nos encontramos deve ter sido há uma semana, quando fomos correr no Parque da Cidade.*

Ela não comentou nada de estar sofrendo ameaças ou algo parecido. Nesses últimos dias, ela se comportou como de costume, esbanjando alegria e agraciando nossos corações com palavras belas.

BSV: *Uma parte da mídia está falando que ela era usuária de drogas pesadas. Você, como amiga, confirma esses boatos?*

Clara: *Que bom que vocês tocaram nesse assunto. Acho que essas pessoas da imprensa não têm Deus no coração, inventam essas mentiras apenas para venderem jornais. Não pensam na família, nos amigos. Como falei, eu era amiga dela há muito tempo e posso afirmar que ela não usava drogas, raramente eu a via com alguma bebida na mão.*

BSV: *Agora falando da parte principal dessa entrevista, resuma para nós o seu post no Facebook feito após o assassinato da Patrícia.*

Clara: *O meu post foi uma reflexão do que vem acontecendo com pessoas próximas a mim nos últimos dias. Primeiro foi um amigo meu, André Antenor, que morava em Nova York, desapareceu do mapa há dois meses. A polícia americana não tem nenhuma notícia dele. Depois foi a vez de outro amigo nosso, o Jeremias Horácio, que foi sequestrado na Asa Norte há duas semanas, ele só não morreu porque o revólver do sequestrador falhou na hora. E agora aconteceu essa tragédia com a Patrícia. Para mim, está claro que alguém está fazendo mal aos formandos da ECCC, todos os três estudaram na mesma turma.*

BSV: *Então você está preocupada com a sua proteção?*

Clara: *Muito, com a minha, da minha filha e do meu marido. Vamos contratar um segurança particular, já que a polícia não faz o trabalho dela.*

BSV: *Você tem algum suspeito ou alguma ideia do que está acontecendo?*

Clara: *Não consigo suspeitar de ninguém, porém é nítido que há algo de errado. Talvez seja algum funcionário daquela época, insatisfeito, que agora resolveu atacar uma turma específica ou talvez seja algum maluco que resolveu ir atrás de um determinado grupo de pessoas, mas sem motivações. Enfim, esse trabalho é da polícia. Acredito que, com as minhas informações, tomem algumas providências.*

Ao terminar a leitura, fiquei um pouco aliviado, pois pensei que o estrago seria maior. De fato, a notícia não era boa para mim, pois se levassem essa louca a sério, as investigações podiam caminhar para esse rumo.

O que me deixava aliviado é que o blog não significava nada para qualquer pessoa inteligente. A entrevista parecia totalmente comprada, sem credibilidade alguma, e a polícia sabia que Clara não tinha noção do que falava, pois afirmava que Patrícia nunca havia usado drogas. O mais importante, para mim, foi a tentativa de assassinato do Jeremias Horácio, pois era impossível me ligar a ele, ou seja, um excelente álibi.

Quatro dias após o assassinato, a notícia da morte da japonesa continuava na mídia, porém cada vez mais perdendo forças, e não havia sinal de que a entrevista de Clara tinha causado impacto na polícia.

Na terça-feira, preparava-me para te levar ao colégio, quando parei para ver a reportagem de um noticiário de uma emissora de televisão que a Lídia, nossa antiga empregada, costumava assistir. Era um desses programas jornalísticos sensacionalistas, em que a desgraça alheia é comemorada. O programa era tão horrível que até promoção para você ganhar dinheiro era divulgado pelo âncora, que também fazia propagandas de anunciantes do jornal, uma falta de credibilidade total. Você tinha que ver um repórter do noticiário, um senhor que mal conseguia respirar e falar ao mesmo tempo. Fiquei com dó de quem gastou dinheiro pagando uma faculdade e perdeu a vaga para alguém tão mal qualificado.

Entretanto, o fato importante é que eles fizeram um especial falando da maldição da ECCC, e isso não era nada bom para mim. A reportagem falava que as seguintes pessoas sofreram algo de ruim no último ano:

Juscelino Silva: *depois de dois infartos em um ano, há três meses ele foi diagnosticado com câncer no pulmão, o que lhe causou uma depressão profunda. Quase não sai de casa. Ele não quis falar com a reportagem.*

Mimi Leocádio: *no começo de 2012, no mês de janeiro, ela sofreu um acidente de carro fatal. O veículo em que ela estava foi atingido por outro, que disputava um pega. O acidente aconteceu a caminho dos condomínios do Jardim Botânico. A reportagem entrevistou o pai dela, que lembrou que até o momento a polícia não tinha nenhuma pista do carro que causou o acidente. Segundo o senhor Leocádio, hoje ele pensa que a filha pode ter sido assassinada, devido ao passado dela na ECCC.*

André Antenor: *desaparecido há 45 dias. Ninguém da família quis dar entrevista. A polícia de Mount Vernon, de Nova York, não tinha nenhuma pista. A família e os amigos acreditam que ele foi sequestrado.*

Jeremias Horácio: *teve medo de mostrar o rosto durante a entrevista em que fala do sequestro e da tentativa de assassinato; contou com detalhes o que aconteceu. Ele parou para sacar dinheiro na 504 norte às 20 horas de uma terça-feira. Quando saiu da agência, os sequestradores apareceram e o levaram em direção a Planaltina de Goiás. No caminho, eles falavam que Jeremias merecia morrer. Que era uma má pessoa. Ainda no Distrito Federal, no setor de chácaras no caminho de Planaltina de Goiás, mandaram o cozinheiro descer e ficar de costas. Segundo Jeremias, ele ouviu o revólver falhar por duas vezes e o assaltante praguejando. No momento em que ele tentou novamente disparar, apareceu um farol vindo em sua direção, o que fez os assaltantes fugirem. Jeremi-*

as aguarda ser liberado pela polícia para poder mudar de Brasília com a família.

Patrícia Hiroshi: assassinada. Entrevistaram o pai da Patrícia, que, ainda em estado de choque, mal conseguia elaborar uma frase inteligível.

Luca Manoel: não morava mais em Brasília, mas entrou em contato com a reportagem depois de ler a entrevista de Clara. Hoje ele mora no Rio de Janeiro e é dono de duas bancas de revista em Ipanema. Em abril, as bancas pegaram fogo com o intervalo de apenas uma semana, e ele não tinha seguro em nenhuma delas. Hoje ele ainda tenta se reerguer da tragédia.

Várias emoções eu senti após ver essa matéria: 1) que lixo de jornalismo; 2) existem pessoas idiotas que leem blog da pior qualidade; 3) que turma amaldiçoada a que eu estudei; 4) Deus pune quem peca; 5) os problemas não causados por mim vão levar as investigações para longe de mim; e 6) como sou foda, nem a polícia dos Estados Unidos consegue me pegar, o caminho estava livre.

Duas semanas após o assassinato de Patrícia, estava no restaurante com a sua mãe, montando o cardápio para o restaurante, e tive uma visita inesperada. Quando terminei um dos pratos, e sua mãe e eu o degustávamos, um dos pedreiros que faziam a reforma do local, não lembro o nome dele, entrou na cozinha e anunciou que dois policiais gostariam de conversar comigo.

Não sei qual a cara que eu fiz e com qual cor fiquei. Porém, lembro que o meu estômago embrulhou, tive vontade de sair correndo em direção à porta dos fundos e te buscar no colégio para fugirmos. Sei que isso seria muito difícil, pois até eu alcançar a porta dos fundos um dos policiais teria tempo de entrar na cozinha e atirar em mim. Mesmo que conseguisse fugir, não poderia tirar você da sala de aula, e mesmo que pudesse, não iríamos longe. Com todas essas desvantagens, preferi arriscar.

Pedi para que os deixasse entrar. Sua mãe fez uma cara de desentendida e perguntou o que seria aquela visita. Encolhi os ombros e respondi que não tinha noção do que havia acontecido. Então, em um momento de sobriedade, fiquei assustado ao pensar que pudesse ter acontecido algo com você, minha filha. Senti-me mal por pensar primeiro em mim em vez de você.

Os dois policiais entraram na cozinha e se apresentaram como Charles Rodrigues e Jacques Luís. Charles Rodrigues era loiro, da minha altura. Não era gordo e nem forte, mas o tamanho dele era de intimidar qualquer um. A cara dele era quadrada e, mesmo tendo olhos verdes, o que poderia encantar algumas mulheres, a expressão do seu olhar era intimidadora.

Luís era moreno claro, com cabelos pretos e raspados. Tinha uma grande cicatriz no antebraço direito. Era um pouco menor que eu, devia ter 1,75. Ele tinha mais a cara do policial bonzinho. Diferente de Charles, que fazia a linha do policial mau.

Com um sorriso no rosto, Jacques começou a falar:

— Boa tarde, senhor Haroldo. Boa tarde, senhora! O que me traz aqui na sua cozinha hoje... — Nessa hora, Jacques ficou olhando a decoração da cozinha e pousou o olhar em minhas mãos. — Gostaria de saber se você conhece algum desses nomes: André Antenor, Patrícia Hiroshi, Jeremias Horácio, Mimi Leocádio e Luca Manoel?

Por alguns segundos, encobri o que sentia e me passei por uma pessoa pensativa. Se eu negasse todos os nomes seria suspeito, pois, apesar de ter se passado mais de dez anos que eu tinha estudado na ECCC, a polícia ficaria intrigada por eu não reconhecer nenhum nome. Porém, se eu falasse que conhecia todos, também seria estranho. Além disso, Emília estava do meu lado e já tínhamos conversado sobre Patrícia. Então procurei a resposta mais segura para mim.

— Conheço um André Antenor, não sei se é o mesmo que vocês querem saber, mas estudei com o André, por dois semestres num curso de gastronomia que fiz. Os outros nomes eu não me recordo. A não ser o da Patrícia, que ouvi no jornal. Mas por que vocês estão me perguntando isso? Devo ter falado com o André pela última vez há dez anos.

Sem perder tempo e interrompendo Jacques, que já começava a falar, Rodrigues disse:

— É esse André mesmo que queríamos saber se você conhecia. Todos os nomes citados pelo meu parceiro estudaram com você. Por que lembrou apenas do André?

— Fiz o curso por apenas dois semestres, e não fiz grandes amigos lá, na época eu era muito calado. Lembro-me do André, pois sempre foi uma espécie de líder da turma, ele era engraçado e sempre tinha boas ideias sobre os mais variados temas. Além disso, fizemos um trabalho em dupla, e foi a única dupla a ganhar dez naquele semestre.

Depois desse meu breve discurso, aguardei um novo questionamento. Eu me mostrava com receio deles, mas não intimidado. Quis demonstrar que falava a verdade e que tinha respeito pela polícia.

Desta vez, Jacques Luís tomou a frente.

— Haroldo, sabemos que você estudou na ECCC e que ficou apenas dois semestres. Encontrá-lo foi difícil, já que mudou o seu nome. Estamos conversando com todos os alunos da sua antiga classe, pois fatos estranhos estão acontecendo e precisamos colher informações para solucionar alguns mistérios. Estamos aqui informalmente para ter uma conversa com você, se preferir podemos ter essa conversa na delegacia e você pode contatar um advogado.

Olhei para Emília e ela estava com uma cara de assustada e curiosa. Procurei me manter calmo, pois se eu fosse suspeito de verdade a conversa não seria amistosa e nem na minha cozinha.

— Acho que podemos conversar aqui. Puxe aquelas cadeiras para vocês sentarem. — Apontei para elas, que estavam atrás da dupla.

Depois de nós quatro nos acomodarmos, Jacques começou:

— Primeiramente, por que mudou o seu nome?

Não era a pergunta que eu esperava logo de início, mas não titubeei.

— Apenas por questões profissionais. Haroldo para Harold foi questão de gosto, sempre achei Haroldo nome de velho; já Agate, eu acrescentei, pois é mais chamativo, traz mais respeito para um chefe de cozinha e, na verdade, é um sobrenome do meu bisavô, mas não era mais usado na família.

— Como eu havia falado, todos os nomes anteriormente citados eram seus colegas no curso de culinária e todos eles tiveram algum problema nesse ano.

Jacques soltou as palavras no ar. Continuei olhando fixamente para ele, como se nada daquilo fizesse sentido para mim. Então a sua mãe, filha, se intrometeu e perguntou:

— O que exatamente aconteceu?

Charles foi mais rápido desta vez e explicou por alto o que acontecera.

— Duas mortes, um desaparecimento, um sequestro relâmpago e outro teve o seu meio de sustento destruído, o que pode ser uma tentativa de assassinato também, já que ele costumava ficar no trabalho até a noite com o comércio fechado.

Sua mãe pareceu muito preocupada, também fiz uma cara de surpreso. Então foi a hora de eu perguntar:

— O André se encontra em qual dos acontecidos?

— Ele está desaparecido — Jacques respondeu.

— Essas notícias que vocês trazem de fato são tristes. Porém, ainda não entendi o motivo da visita dos senhores.

— Você se lembra da Clara Araújo?

Fiquei mais um tempo pensando.

— Recordo do nome, tinha uma Clara na turma, mas não sei quem é se eu passar por ela hoje na rua.

— Ela era da sua turma. Clara era muito amiga do André e da Patrícia. Ela foi até a polícia para alertar esses estranhos acontecimentos com pessoas da sua antiga turma. Por isso, começamos a visitar todos vocês, e aqui estamos hoje. Gostaríamos de saber se recentemente você sofreu alguma ameaça, alguém te seguiu, houve algum telefonema estranho, enfim, algo nesse sentido.

— Caros, posso afirmar que nada de estranho aconteceu comigo nesse ano.

Charles olhou para a sua mãe e perguntou a mesma coisa para ela, que por sua vez respondeu praticamente o mesmo.

A conversa não demorou muito, os policiais deixaram o cartão deles e pediram para ser avisados caso qualquer coisa acontecesse. Antes de partirem, eu perguntei se eles já tinham conversado com todos e se eu devia me preocupar, se deveria tomar alguma medida para a segurança da minha família. Jacques respondeu:

— Você foi o último dos entrevistados. No total, foram dezessete alunos que passaram por aquela turma, sendo que dez se formaram. Como eu disse, cinco sofreram de alguma mazela. Em um universo de dezessete pessoas, cinco significa muita coisa, mas não há ligação entre os casos, não precisa ficar preocupado.

Depois que eles foram embora, a sua mãe ainda estava nervosa, mas a tranquilizei, pois a polícia só estava fazendo o papel dela, mas eles nem consideravam que aquela teoria tinha sentido. Mal sabia sua mãe que ela estava protegida.

Passei o resto da tarde cozinhando e resolvendo problemas das obras do restaurante. Naturalmente fiquei mais calado, assim como a sua mãe. Avaliei tudo o que ocorreu e nada me preocupava, os policiais estavam muito amistosos, mesmo o que fazia o papel de policial mau. Não percebi em nenhum momento que eles suspeitaram de mim. Entretanto, terei que atrasar um pouco meus planos de vingança, já que uma nova morte no momento colocaria a polícia em alerta, o que seria prejudicial aos meus negócios.

CAPÍTULO 4
Uma mudança virá

Filha, infelizmente algo ruim aconteceu a nossa família durante esse período, mas não foi culpa minha, e acho que você merece saber a história real.

Depois do assassinato da Patrícia, decidi tirar alguns meses de férias, pois precisava esperar a poeira baixar, voltar ao meu trabalho de verdade e não ficar apenas no meu *hobby*.

Nesse período, fui procurado por alguns dos ex-integrantes da minha antiga turma, fui convidado a participar do grupo do Facebook, o mesmo grupo que despertara a minha ira inicial. Entrei no grupo e procurei as postagens que falavam mal de mim, contudo, todas já tinham sido apagadas, assim como o perfil do André e o da Patrícia. Entrei no grupo e só dei um oi num tópico de apresentação. Não conversei com ninguém e ninguém puxou conversa comigo.

Já era setembro, e a reforma do restaurante estava atrasada. Nossa confeitaria estava a pleno vapor, tanto que os seus avós maternos já estavam com planos de abrir uma filial em Guarapari, no Espírito Santo, já que eles tinham uma casa lá e pensavam em se mudar. Eles não gostavam de Brasília.

Um irmão da sua mãe já tinha se mudado para Guarapari para trabalhar como corretor de imóveis. Seu outro tio por parte de mãe também estava mudando de Brasília, pois a sua futura esposa havia passado num concurso da Polícia Federal e ficaria lotada em Palmas, no Tocantins. Com certeza, era muito válido para ele acompanhar a namorada, pois nunca gostou de trabalhar. Ele era a ovelha negra da família, sempre gastava mais do que podia, além de estar envolvido com drogas por muito tempo, suspeitava-se que ele roubava os seus avós. Espero que você não tenha o desprazer de conhecê-lo.

Com isso, só restaria a sua mãe em Brasília, todos mudariam em janeiro, após as festas de final de ano. Como a família da sua mãe é do Espírito Santo, a mudança seria muito boa para eles.

Diante disso, a sua mãe estava agitada. Não consegui entender muito bem, pois ela nunca se deu bem com os irmãos, principalmente com o mais velho, o usuário de drogas. Acredito hoje que o nosso casamento aconteceu de maneira tão rápida porque ela não aguentava mais morar na casa da família. Além disso, sua mãe nunca se deu bem com a sua avó, as duas sempre foram de discutir bastante, pois tinham a personalidade forte. Não estou falando mal da minha sogra, mas a verdade é que ela não era uma boa companhia, nunca foi afetuosa com ninguém que não pudesse lhe dar algo em troca, e esse algo deveria ser um bem material. Ela nunca gostou de você, filha. Não suportava ficar com você por muito tempo. Além disso, o seu avô nunca foi com a minha cara. Não sei o motivo, nunca o desrespeitei ou desrespeitei a filha dele, mas a sua mãe já tinha me falado que ele não gostava de mim, achava que eu não seria um bom marido, depois achou que eu não seria um bom pai. Para o seu avô, ser *chef* de cozinha era coisa de homossexual e pobre.

Sua mãe não havia chegado a mudar totalmente o humor, mas eu a sentia mais distante, com o olhar mais vago. À noite, quando estávamos juntos em casa, ela logo ia dormir. Não ficava conosco vendo os seus desenhos ou brincando.

Como falei antes, considerei que era normal, devido à mudança da família, porém, no dia 15 de setembro, os meus pensamentos se transformaram, por dois motivos.

Nesse dia, você passou mal por causa de uma reação alérgica bem fora do comum. Você ficou vermelha e com um pouco de dificuldade para respirar, por isso, por volta das 15 horas, sua mãe e eu a levamos ao Hospital Santa Helena. Nesse horário, eu deveria estar na obra do restaurante, e sua mãe na academia.

Como você estava bastante mal, deixei-as na porta do hospital e fui procurar uma vaga. Enquanto aguardava um lugar para estacionar, percebi que o celular da sua mãe tinha ficado dentro do carro. Só percebi isso porque começaram a pipocar algumas mensagens de WhatsApp na tela. Foram cinco seguidos e confesso que a curiosidade bateu. Assim, não resisti e li. Todos eram do Dr. Humberto. Como sua mãe estava fazendo tratamento estético, pensei que era algo relacionado às consultas, mas as mensagens não davam essa impressão.

Oi, como está?
Já pode conversar?
Então, hoje é o dia :)
O Sudoeste não será mais o mesmo

Em 20 minutos

A princípio, isso não significava muita coisa, mas fiquei um pouco cismado com as mensagens. Para mim, estava claro o teor, mas tentei evitar que o meu pensamento perfurasse o meu coração e me deixasse mais angustiado.

A consulta transcorreu bem e você foi medicada, sendo liberada no final do dia.

Sua mãe só foi se dar conta de que o celular estava no carro quando estávamos indo embora. Deixei-o no mesmo lugar, e no hospital ela pensou que havia deixado em casa. Se ela me traía ou não, eu ainda não sabia, mas que ela sempre foi uma mãe dedicada e que a amou incondicionalmente, isso é verdade e eu não tenho o que reclamar.

Assim que ela pegou o celular, percebi que a sua expressão mudou, como se tivesse se esquecido de fazer algo muito importante. Sua mãe simplesmente não falou comigo por uns cinco minutos, ela só digitava. Até o momento em que ela deu um leve sorriso, e foi assim que o segundo indício fez minha percepção mudar.

— Está tudo bem?

— Sim. Estava falando com a Shirlei, tinha marcado de ajudá-la na festa que ela vai dar no final de semana para os sogros. Ia passar a tarde toda ajudando-a. Com toda a correria, me esqueci de avisá-la que a Sofia tinha passado mal, mas marquei de passar lá agora, no começo da noite, para ajudar na reta final. Tem problema de você ficar de olho nela? Acho que ela vai dormir o resto do dia.

— Lógico que não, meu amor. Vá encontrar com a Shirlei,

você precisa se distrair. Pode deixar que eu cuido da nossa filha.

— Obrigada, meu amor. Devo ficar até umas onze horas, no máximo.

— Manda um beijo para a Shirlei.

Fiquei calado o resto do percurso. Antes de sair, sua mãe me fez o relatório de como cuidar de você, explicou os remédios que eu deveria te dar e se despediu. Como você estava num sono profundo, pensei em seguir a sua mãe, mas tive um pouco de juízo e fiquei cuidando de você.

Contudo, ficar com você não me impediu de procurar informações sobre o Humberto. Logicamente o Facebook mais uma vez me ajudou, ele era amigo da sua mãe e tinha mais alguns amigos em comum. Quando estava para olhar quem eram os amigos em comum, vi a foto da capa, onde ele estava com a família, e percebi que a filha dele não me era estranha. Por curiosidade, vi outras fotos e descobri de onde a conhecia, ela era sua colega de turma, mas não lembrava o nome dela, embora já tinha visto vocês duas brincando em alguma festinha.

Todos os amigos em comum eram pais dos seus amiguinhos. Descobri onde ele trabalhava – uma clínica de estética no Sudoeste –, e pelas atividades parecia que ele morava na Asa Sul, mas não tinha certeza.

Pensei em como eu poderia acabar com aquele caso, não que eu fosse perdoar a sua mãe, mas não queria continuar sendo um corno. Minha primeira ideia era contar para a esposa do Humberto, mas logo depois pensei melhor e percebi que seria ruim para a minha moral e, principalmente, para você.

Durante a semana, de forma impressionante, eu me mantive calmo e conversando com Emília, no entanto, estava morto por dentro. Não conseguia mais tocá-la. Olhar já me dava repulsa, porém, em nenhum momento, eu deixava de pensar em como me separar e ficar com a sua guarda, minha querida filha. Então comecei a me movimentar.

Aluguei um apartamento de um quarto na 314 norte, ninguém sabia desse aluguel. Eu estava mobiliando esse imóvel para que quando eu confrontasse a sua mãe e pedisse a separação, já tivesse um lugar para morar momentaneamente. Estimei que o tempo necessário fosse de um mês. Preferi não contar para ninguém, para não ter intromissão dos outros, principalmente da família da sua mãe.

Comprei um rastreador pela OLX de um vendedor de Brasília, pois para ter sua guarda eu tinha que dar o flagrante na sua mãe, e eu não queria ficar bancando a polícia e seguir o carro. Tudo tinha que ser ao acaso e, de preferência, em local público.

Também comecei a olhar as faturas do cartão de crédito, pois há alguns meses eu achava que estávamos gastando demais, mas a minha falta de organização financeira me impediu de verificar o que estava acontecendo.

Observei que já havia cinco meses que às quartas e em algumas sextas os gastos com restaurantes tinham aumentado demais, além de dias aleatórios com gastos de mais de duzentos reais em lojas que descobri que serviam de fachada para motéis. Nesses cinco meses, os gastos da sua mãe saíram de uma média de mil e quinhentos reais para quase quatro mil. Sendo que eu estava pagando a conta. Enfim, eu era o melhor corno que um casal de amantes poderia querer e sonhar, mas isso só duraria mais um mês.

Já na primeira semana de outubro, conversei com a sua mãe e decidimos passar a minha confeitaria para o nome dela. Já que a família ia mudar, achamos que isso seria confortável para eles, que começariam do zero numa cidade que não conheciam mais. Acredito que já tenha percebido, filha, que na verdade queria que isso garantisse uma renda financeira para ela no momento da nossa separação.

Nossa relação estava cada vez pior. Tentava tratá-la normalmente, mas não conseguia. Acredito que ela tenha notado, pois cada vez se afastava mais. A família dela antecipou a ida e já estava com quase tudo preparado para sair de Brasília.

No dia 10 de outubro, o meu novo apartamento já estava quase todo mobiliado e, sendo assim, coloquei a segunda parte do meu plano em prática. Um dia após o feriado, saí com o carro da sua mãe para fazer compras. Fui sozinho, como era de praxe. Só que desta vez, mais do que nunca, queria ir só, pois no mercado eu iria instalar o rastreador embaixo do carro. Sempre com a precaução de não ser filmado ou visto por algum xereta.

Nos dias seguintes, fiz teste com o localizador e realmente ele me dava com precisão a localização do carro. Todos os dias, quando ia para a confeitaria ou para a reforma do restaurante, eu escapava e conferia se o carro estava no local indicado; o aparelho não tinha falhas.

No dia 18, à tarde, percebi que era a minha grande oportunidade, pois o carro da sua mãe estava parado no estacionamento três do Parque da Cidade. Isso não era normal, pois ninguém, à tarde, num dia de semana estaciona lá. Só podia significar uma coisa.

O mestre de obra do restaurante me pediu para comprar alguns materiais. Não pensei duas vezes, fui comprar, mas antes eu tinha que parar no Parque. Fiz o percurso Asa Norte – Parque da

Cidade no menor tempo possível. Só não corri mais porque ouvia *Goodbye to Childhood* para me desestressar, na realidade para tentar.

Foi fácil achar o carro da sua mãe. Além de ser cedo, três horas da tarde, o estacionamento estava vazio. Além dos nossos carros, havia mais três apenas, os três vazios, por isso parei longe do campo de visão da sua mãe e saí do carro, para não ser flagrado.

Não pude acreditar no que eu via, apesar de ter película bem escura, dava para ver que sua mãe e o amante estavam tendo relações dentro do carro da nossa família. Era inacreditável aquela postura, nem adolescentes fariam algo tão baixo como o que presenciei.

Aquilo me encheu de ódio. Fui em direção ao carro para confrontá-los quando o meu celular tocou. Era o seu avô.

— Oi, meu filho, tudo bem?

— Tudo bem, pai...

— Onde você está? Tem muitas cigarras aí por perto.

— Estou no SIA, tenho que comprar algumas coisas para o restaurante. Mas o que você manda?

— Nada demais, tivemos um problema com o computador da loja e não consegui achar o telefone do técnico, tem fácil aí com você?

— Tenho o telefone salvo no meu celular, te mando por mensagem.

— Obrigado, meu filho. Tchau!

— Tchau, pai.

Depois de passar o telefone para o meu pai, comecei a prestar atenção no canto das cigarras, algo que sempre me acalmava.

Fiquei uns cinco minutos ouvindo as cigarras, quando percebi que o Humberto saiu do carro da sua mãe. Ele parecia apressado. Um dos carros estacionados era o dele. Em menos de um minuto, ele saiu do carro dela e já estava indo embora no próprio carro.

Observei a sua mãe. Ela se arrumava no carro e mexia no celular, nem se preocupava se tinha alguém por perto. Isso era muito triste; não podia mais conviver um dia com uma mulher daquela. Demorei ainda uns cinco minutos para ir embora do estacionamento, e o carro da sua mãe continuava lá.

Fui para o SIA fazer as compras e já tinha decidido que à noite o meu casamento ia ter um final. Desisti de dar o flagrante, mas ia falar calmamente que uma pessoa havia me dito que ela me traía, ia dar a ficha completa da traição, não ia ameaçá-la, mas ia deixar claro que eu sabia quem era o amante e como eu poderia encontrar a família dele, caso eu quisesse contar a verdade.

A minha estadia nas lojas de construção não foi muito demorada; passei por duas até comprar tudo. Podia ter comprado tudo em uma só, mas queria espairecer, e andar no meio dos outros sempre me acalmava.

Quando voltei para o restaurante, por volta das 17h30, Charles Rodrigues e Jacques Luís estavam conversando com os pedreiros, e minha presença fez com que todos se calassem. Os dois pedreiros estavam com os olhos cheios de água, então Jacques falou para os dois:

— Vamos conversar com o senhor Harold. Vocês já podem ir para casa.

Então, Jacques pediu para que eu os seguisse até a cozinha.

Meu coração estava disparado. Não tinha motivo para os

policiais estarem ali, senão fosse um caso de crime contra a vida. Fui até a cozinha com as pernas tremendo. Antes de eles pedirem, eu me sentei na primeira cadeira que vi. Charles então me deu a notícia.

— Senhor Harold, lamentamos informar, mas a sua esposa foi encontrada morta hoje à tarde, quer...

Não acabei de ouvir a frase. Caí da cadeira e me choquei com o chão sujo da minha futura cozinha. Quando acordei, estava na minha cama, com a minha querida mãe ao meu lado. Ela me disse que tive apenas uma queda de pressão e que os meus irmãos estavam chegando ao restaurante no momento. Eles me levaram para casa e chamaram um médico. Perguntei sobre você, filha, e ela me disse que estava na casa da minha irmã, com os filhos dela. Nisso, mamãe trouxe comida e pediu para eu tomar um calmante. Porém, ela me alertou de que a polícia falaria comigo na manhã do próximo dia.

Comi sem vontade o sanduíche feito pela minha mãe e tomei o remédio para conseguir dormir. O dia tinha sido bastante agitado e logo mais teria que responder várias perguntas da polícia, o que nunca era bom, mesmo sendo inocente.

No dia seguinte, acordei sem muita vontade de conversar com ninguém. Liguei para a minha irmã para saber como você estava. Sua avó havia dormido aqui em casa, pedi para que ela voltasse para casa para descansar, o que obviamente não fez. Ela me informou que dentro de uma hora a polícia chegaria para conversar comigo.

Às dez em ponto, a dupla de policiais chegou à minha casa e pedi para que se sentassem. Depois das saudações iniciais, quando eles me perguntaram como eu estava, onde cada membro da família estava e coisas de praxe, pedi para que eles me contassem o que havia acontecido. Jacques começou:

— A sua esposa foi encontrada ontem dentro do carro dela no estacionamento três do Parque da Cidade. Ela levou duas facadas na região do peito, uma atingindo o coração e mais duas facadas na garganta.

Comecei a chorar, mas tentei me manter firme.

— Meu Deus! Ela sofreu muito? Quem a socorreu? O assassino foi preso?

— As facadas foram fatais, praticamente ela faleceu na hora. O assassino deve ter se assustado com alguma coisa, pois o corpo foi achado poucos minutos depois, por pessoas que corriam no parque. A porta do carro estava aberta e o corpo estava caído metade para fora. Infelizmente, o assassino não está preso, porém, temos um suspeito.

Enquanto Charles falava, ele mantinha o olhar fixo em mim.

Depois de um minuto com os olhos fechados e ainda chorando, resolvi continuar a conversa.

— Quem é o suspeito?

— Onde o senhor estava ontem no período da tarde? — Charles me perguntou como se eu não tivesse feito nenhuma pergunta anteriormente.

— Cheguei ao restaurante por volta das 13h30, não lembro a hora exata, mas um pouco depois saí para fazer compras de materiais que os pedreiros me pediram. Demorei a fazer a compra, pois passei em duas lojas no SIA, e a hora em que retornei vocês já estavam lá.

— Você estava sozinho? — Charles parecia que queria que

eu assumisse o crime, praticamente ele não piscava enquanto falava comigo.

Filha, preferi omitir que estive no Parque da Cidade para não ser acusado de um crime que não cometi. Se eu contasse a verdade, eles não iam acreditar na minha inocência na hora, e eu poderia ficar longe de você. Não podia deixar isso acontecer. Não podia!

— Eu sou o suspeito? É isso?

Respondi com a cabeça baixa e choramingando, queria ter sido mais incisivo, mas estava sem força.

— Não é isso, senhor Harold. Temos que nos atentar a tudo. Mesmo com o assassino preso, estaríamos fazendo as mesmas perguntas. Se o senhor não quiser responder, estará no seu direito, porém teremos que chamá-lo para um depoimento formal na delegacia — explicou Jacques calmamente.

— Desculpe, não quero atrapalhar a investigação e não tenho nada a esconder... Estava sozinho, o único contato que tive foi com o meu pai, que me ligou no meio da tarde, depois posso pegar o meu celular para ver as horas que eram. Entrei nas seguintes lojas... — Calei-me um pouco para relembrar a ordem. — Sebba e Tend Tudo, nessa ordem. Todas ficam no trecho três. Comprei nas duas lojas, não lembro qual era o horário, mas as notas estão comigo, caso queiram verificar.

— Obrigado, isso já nos ajuda. Não precisa nos mostrar o seu celular, o seu pai já nos confirmou a hora que vocês conversaram — Jacques, com toda educação e calma, fez uma pausa, e percebi que estava um pouco relutante para fazer a próxima pergunta, e eu já imaginava o motivo. — Como andava o seu casamento, senhor Harold?

Eu iria falar a verdade de qualquer jeito, mas, antes de responder, entendi que a pergunta só poderia ser feita se eles já soubessem que havia algo de errado no casamento, e se eles sabiam é porque ou eu era o real suspeito ou o Dr. Humberto era o suspeito. Então respondi, novamente com a cabeça baixa.

— É uma pergunta difícil de responder, porém tentarei explicar da melhor forma. Nós nos dávamos bem, éramos companheiros, nos respeitávamos, mas o amor havia acabado. Há uns seis meses a situação começou a ficar mais desconfortável, pois vivíamos como estranhos, não tínhamos afinidades. Com isso, no meio de setembro, conversamos e decidimos nos separar. Tudo se encaminhava para isso. Há um mês, procurei um apartamento para alugar e encontrei na 314 norte, ainda não havia mudado, pois combinamos de eu mobiliar tudo antes, e só depois me mudaria. Também em outubro, decidimos que a confeitaria da qual eu sou dono seria doada para a família dela, mas meus pais continuariam trabalhando lá, enfim, como eu disse, estávamos nos separando, porém éramos amigos. Ninguém das nossas famílias sabia, íamos contar depois que eu já tivesse mudado.

— Então, a motivação do fim do casamento foi a falta de amor, mas por que isso ocorreu?

— Sinceramente, não sei responder essa pergunta, e acho que ela não ajudaria muito na investigação...

— Senhor Harold, desculpe a minha franqueza — Charles se intrometeu, evitando que a conversa ficasse sem sentido —, mas o senhor sabia que a senhora Emília estava tendo um caso extraconjugal?

Fiz uma cara de espanto e encolhi os ombros.

— Não acredito nisso... Não sabia que ela estava tendo um

caso. Está certo que foi ela quem quis conversar sobre a nossa separação, mas não achava que ela estava me traindo. Eu não era o marido mais observador do mundo, mas também não era ausente. Ela nunca me deu motivo para desconfiar dela. Vocês têm certeza de que ela tinha um caso? Quem é?

Os dois se olharam constrangidos e ficaram em silêncio. Então continuei:

— Sei que vocês são os policiais e estão trabalhando, mas estou aqui cooperando com vocês, dando informações para pegar o suspeito. – Parei um pouco para refletir e continuei: — Espere aí, o suspeito é o amante? Me contem a verdade.

Luís, que era o mais político, acenou para Charles, este se ajeitou na cadeira e, me encarando de forma amistosa, começou:

— Não achamos que o senhor irá fazer justiça com as próprias mãos, mas ainda estamos no meio de uma investigação, então não podemos simplesmente contar as nossas suposições, embora eu acredite que o senhor mereça algumas explicações, e ainda precisamos que o senhor nos responda mais alguns questionamentos.

Rodrigues não tirava o olho de mim. Aquele homem me dava medo, sabia que nunca poderia vacilar na frente dele. Luís continuou o seu pensamento.

— No carro da sua esposa, foi encontrada a carteira de um homem, e já fomos pegar o depoimento dele. No começo, ele negou que conhecia a sua esposa, mas percebemos que ele estava mentindo. Quando explicamos como chegamos até ele, as coisas mudaram, e ele não só confirmou que conhecia a sua esposa, como também que estava tendo um caso com ela, apenas um caso sem relevância, sem ligação amorosa. Ele nos confirmou que esteve com ela à tarde no Parque e que tiveram relações àquela hora. A questão é que ele também é casado e tem uma filha. O caso deles teve início há cinco meses, o que bate mais ou menos com a época em que o senhor nos afirmou que o seu casamento começou a se deteriorar. Além disso, conseguimos ver algumas mensagens trocadas entre eles no WhatsApp, apesar de apagarem as conversas com regularidade. Porém, uma mensagem da sua esposa, que foi enviada ontem, depois que ele disse que a deixou só no Parque, dizia: "Hoje foi a nossa última vez. Ainda te amo, mas você não tem intenção de se separar, não quero ser a outra pelo resto da vida."

— Meu Deus! Não sei o que dizer. — Comecei a chorar; depois de um tempo olhei para os dois e continuei a conversa. — Não deixe o meu choro fazê-los pensar que não quero ouvir o restante que vocês têm a dizer. Meu choro é devido à decepção por ter confiado a vida da minha filha a essa pessoa e, principalmente, por saber que ela pode ter sido morta por um motivo tão fútil. Quem é o amante?

— Conhece Humberto Oliveira ou doutor Humberto? — perguntou Luís.

— Não o conheço, pelo menos não de nome. Emília e eu não íamos a médicos juntos, poucas vezes fomos a alguns pediatras com a Sofia. Por isso não me lembro de nenhum Humberto. Para falar a verdade, a Emília não ia com muita frequência a médicos, pelo menos não que ela me dissesse.

Enquanto terminava de falar, Charles abriu o caderno que usava para anotações e pegou uma foto e me passou.

Depois de alguns segundos olhando para a foto, respondi:

— Olhando para essa foto, tenho a impressão de que já o vi, pois o rosto dele não é estranho, mas não sei de onde o conheço.

Devolvi a foto para Charles, que completou o meu raciocínio.

— Você deve conhecê-lo de festas e reuniões da escola da sua filha, pois as filhas de vocês estudam juntas. A esposa dele se lembra de você e da Emília. Ela nunca conversou com vocês, mas se recorda das festas em que os quatro estiveram juntos.

— Então devo conhecer das festas do colégio, mas nunca conversei com ele ou o vi falando com a Emília. A esposa dele suspeitava de algo?

— Não, ela ficou surpresa também. O casamento deles aparentemente era um conto de fadas. Ela disse que ele é um pouco possessivo, mas é muito amoroso, um bom marido e pai.

Filha, não ache que sou dissimulado. As mentiras que tive que contar para a polícia foram apenas para me proteger e te proteger também. Não podia ser transformado em suspeito, senão eu te perderia e seria julgado pelos outros, o que é a pior coisa que pode acontecer.

Depois de alguns segundos, perguntei ao Charles:

— E agora, o que acontecerá? Ele será julgado? Terei que ir à delegacia prestar um depoimento formal? Não sei se tem como pedir isso para vocês, mas, caso não seja preso, gostaria que ele ficasse longe da minha casa e da minha filha. Aliás, eu não gostaria de ter contato com ninguém da família dele, mesmo sabendo que a mãe e a filha não têm nada a ver com isso, mas quero preservar a minha filha.

— Explicando de maneira rápida, ele não foi preso, mas estamos tentando conseguir a prisão dele, por causa da carteira na cena do crime, por ele ter mentido para forjar um álibi e por ter motivação para cometer o assassinato. Se ele for preso, é capaz de ser julgado. Se isso acontecer, você será convocado como testemunha. Sobre a sua filha, depois das conversas de ontem com a esposa do senhor Humberto Oliveira, ela vai entrar esta semana com o pedido de separação, e já nos confidenciou que a filha não voltará ao colégio, pois teme que as outras crianças façam *bullying* com ela, e deixarão Brasília o mais rápido que puderem. Aconselho o senhor a ir até o colégio e providenciar a transferência da sua filha, um recomeço nesse caso sempre é válido. Nesta situação, o colégio deverá aprovar a sua filha em todas as matérias. Também conversei com os pais da Emília, eles já sabem do caso de traição. Vão cuidar das questões do enterro.

Conversamos por mais alguns minutos e nos despedimos. A conversa foi muito mais tranquila do que eu pensava, e como era bom ver a eficiência da polícia de Brasília quando o crime acontecia no Plano Piloto.

As semanas seguintes foram dolorosas. Tivemos que explicar para você que a sua mãe tinha falecido. Na época, não contamos a verdade, não sei se ao ler minhas memórias você já saberá dos acontecidos, mas acredito que sim. Seus avós maternos sentiram muito o baque da perda da filha.

Consegui devolver o apartamento que tinha alugado, doei todos os móveis que tinha comprado. Já tinha escolhido a sua escola para 2013. Decidi suspender as obras do restaurante, conversei com o mestre de obras e combinamos que no dia 15 de janeiro de 2013 voltaríamos para concluir a construção.

Em novembro, Clara me procurou para conversar – mas citarei isso depois –, e também me reuni com a promotoria. Nessa época, conversei com os seus avós maternos e eles iam se mudar para o Espírito Santo, passei a marca da Confeitaria Agate para eles. Aqui em Brasília, trocaríamos de nome, e o escolhido foi *Desery*, sobremesa em polonês, já que a sobremesa que fazia mais sucesso era o Kremówka.

Em dezembro, eu estava me recuperando, e você também já estava mais alegre. Acredito que perder um ente nessa idade é menos traumático que quando se tem mais consciência da vida. Mas se a família Agate estava se recuperando, Brasília estava um caos. Tudo isso por causa de um *serial killer* louco que apareceu aqui na cidade, chamado de Papai Noel Assassino. Ele já havia matado três pessoas, mas a polícia ainda não afirmava que era um assassino em série. Como sempre, brasileiros gostam de tapar o sol com a peneira.

Todos os jornais só falavam desse louco, menos mal, pois isso tirou o foco das bobagens que a Clara inventou sobre a maldição dos ex-alunos da ECCC.

Faltando duas semanas para o Natal, toda a família Agate foi almoçar no Outback do ParkShopping, suposto local onde o Papai Noel Assassino começou a atuar. No carro, íamos nós dois e seus avós, embalados novamente por Herbie Hancock e a música *Death Wish*.

Na fila do restaurante, encontrei com Vagner Maynard, meu antigo psicólogo, acompanhado de um amigo. Ao me ver, ele veio na minha direção.

— Boa tarde, Harold. Como está? Fiquei sabendo dos últimos acontecimentos. Uma pena, meus sentimentos.

— Oi, doutor Vagner, infelizmente esses últimos dias não foram fáceis. Mas hoje estou aqui com a minha família para distrairmos um pouco a cabeça.

— Isso é bom. Isso é bom. Se quiser conversar, não deixe de me ligar, o telefone é o mesmo.

Despedimo-nos e ele foi logo chamado para entrar. Não gostei da conversa, ele parecia me analisar. Parecia que analisava minha entonação, minha linguagem corporal. Tive a impressão de que ele me julgava.

Nossa mesa ficou na frente da dele, e seu amigo, que sentou-se de frente para mim, me olhava o tempo todo e não disfarçava. Não sabia quem era o cidadão, mas seu olhar era intimidador. Preferi parar de olhar e adiantar a refeição para irmos logo embora.

Não sei o que o meu psicólogo falou com aquele sujeito, mas não foi algo bom. Mas, como sempre, tudo na vida tem o seu lado positivo. Aquela situação me lembrou de que se tinha alguém que podia me acusar de vingança, esse alguém era o Maynard. Como não havia pensado nisso antes?

Infelizmente, filha, para fazer o certo precisamos agir de modo errado. Não podia deixar o meu psicólogo vivo e pensando sobre o assunto.

Até janeiro nada demais aconteceu; suspendi a minha vingança. Só o louco do Papai Noel continuava aterrorizando Brasília. Passamos as festas só com a minha família. Seus parentes por parte de mãe preferiram esquecer Brasília de vez, nem presente para você eles deixaram, e só ligaram no dia 25 à tarde.

CAPÍTULO 5
Sombras ocultas

Como eu tinha falado anteriormente, nesse período de luto, recebi a visita mais estranha da minha vida. Clara Araújo veio até a nossa casa.

Era um final de noite chuvoso de novembro, quando o porteiro anunciou a chegada dela. Demorei um pouco para responder, pois o meu cérebro não conseguia processar a informação.

Quando ela chegou, eu a convidei a entrar e se sentar. Percebi logo que uma característica ela não tinha perdido – falar pelos cotovelos. A partir do momento que abri a porta, ela não parou de falar um minuto, nem prestava atenção no que dizia. Ela era uma morena magra, de tamanho mediano. Tinha cabelos longos e pretos, muito bem tratados por sinal. Além disso, claramente notei que ela tinha colocado silicone nos seios. Enfim, uma mulher bonita e, com tudo isso mais o jeito de se vestir, era uma das centenas de madames que existem em Brasília. Porém, a síndrome de Peter Pan devia ser uma presença constante na psique dela, pois as joviais tatuagens de coração estavam presentes nos dois pulsos. Ela era a evolução normal desse tipo de mulher, de patricinha mimada na infância para madame sem nada na cabeça na fase adulta.

Enquanto ela caminhava para o sofá, fui desligar o som, pois no momento escutava *A Jump Ahead* para tentar começar o dia bem. O que não foi possível com essa visita.

— Oi, Haroldo. Desculpa vir até aqui. Não sei se você se lembra de mim, mas estudamos juntos na ECCC por volta do ano 2000. Lembra-se? Desculpa vir sem avisar, mas queria falar com você, queria dar minhas condolências...

Até que enfim, ela se calou. Como é irritante pessoas que despejam vários assuntos numa única oração. Olhava para ela impávido, e depois de alguns segundos de suspense tentei quebrar o modo dominador dela.

— Como o tempo fez bem para você, Clara. Tem o mesmo rosto de menininha que tinha na época do curso de culinária. — Ela fez uma cara de espanto, mas depois sorriu, como se fosse o maior elogio que tinha recebido naquela semana. — Obrigado pela visita, é tudo muito recente para mim e para minha família. Porém, não posso conter a minha curiosidade, depois de tantos anos, por que você veio até mim para me trazer conforto?

— Sei que parece estranho, e até te peço desculpas pela invasão, mas tem algo que gostaria de conversar com você.

Outra característica dela que ela manteve – ser inconveniente. Antes de ela continuar falando, fiz menção de me levantar.

— Vamos conversar na cozinha, vou passar um café para nós.

Enquanto andávamos para lá, ela emendou mais uma vez a metralhadora que levava na boca.

— Pelo que li na mídia, o principal suspeito pela morte da

sua esposa já foi preso. Qual era a motivação dele? Você acha que ele é o verdadeiro culpado?

— Sim, de acordo com as circunstâncias que a polícia me informou, ele é o culpado. Caso não seja ele, alguém fez um trabalho de profissional, muito bem arquitetado — fiz um draminha antes de continuar falando. Baixei a cabeça, embarguei a voz, encolhi os ombros e, de forma constrangida, continuei. — Olha, a minha esposa me traía com o assassino dela e, segundo as provas, ela queria acabar com o relacionamento, e ele não aceitou muito bem. Nem sei por que estou comentando isso, talvez falar em voz alta me ajude a fechar a ferida.

— Que notícia ruim. Infelizmente as pessoas não prestam, Haroldo. Não fique constrangido em conversar comigo, estou aqui para te ajudar.

Quanta mentira em uma única frase... Senti uma vontade insana de matá-la ali mesmo, na cozinha, mas seria impossível eu me safar desta vez. Como ela podia afirmar que as pessoas não prestam? Só se for por experiência própria! Além disso, ela acha que poderia me ajudar? As pessoas não têm humildade, algumas conseguem fingir apenas.

Ela continuou falando depois de uma breve respiração.

— Você se lembra da Patrícia Hiroshi, que estudou com a gente?

— Não me lembrava, mas você falando o nome e afirmando que ela estudou conosco, eu me recordo, pois não tinha nenhuma outra pessoa com ascendência japonesa na nossa sala.

— Ela foi assassinada há cinco meses.

— Poxa! Que notícia péssima, não sabia disso. Ela continuava morando aqui em Brasília?

— Sim, ela foi encontrada morta por asfixia na Vila Telebrasília.

— Ah! Me lembro dessa notícia. Foi bastante divulgada na
televisão, não foi? Só não liguei o nome à pessoa. Porém, mais uma
vez, me desculpa, não quero ser grosso, mas eu não estou entendendo. O que isso tem a ver com a morte da minha esposa?

— Nos últimos tempos, algumas coisas estranhas vêm a-
contecendo com pessoas que estudaram na nossa turma. Não sei se
você se recorda de todas as pessoas, mas a Mimi Leocádio morreu
num acidente de carro aqui em Brasília. A Patrícia Hiroshi foi assassinada, como já falei. Jeremias Horácio foi sequestrado e tenta-
ram matá-lo. Luca Manoel, que mora no Rio de Janeiro, teve seu
local de trabalho destruído em um incêndio e, por último, o meu
grande amigo, André Antenor, está desaparecido desde maio. E
agora acontece isso com a sua esposa. Enfim, muita coincidência.

Enquanto tomávamos o café, e depois de ouvir tanta besteira, decidi colocar um ponto final naquilo, ou melhor, tentei colocar um ponto final. Sabia que a burrice dela não aceitaria meus
argumentos. Decidi omitir a informação de que a polícia já tinha
me informado dessa teoria idiota.

— Realmente são histórias trágicas e com um determinado
número de pessoas conhecidas. Porém, pelo que você falou, tudo
aconteceu contra pessoas que estudaram na nossa turma, mas a
minha esposa não estudou com a gente. Se tivesse acontecido algo
comigo, acredito que a teoria poderia ser aplicada. Infelizmente,
para mim, o crime contra a minha esposa foi apenas passional.
Não se encaixa muito na sua teoria, mas agradeço a sua preocupação de vir conversar comigo sobre isso.

— É, talvez não se aplique mesmo, mas achei que você merecia ouvir a minha suposição. Mas já está tarde e imagino que você não esteja em condições de ficar fazendo sala para visitas. — Ela se calou por alguns segundos e depois concluiu: — Sabe, foi bom te reencontrar. Na época que estudamos juntos não tínhamos tanta intimidade, mas foi legal reencontrá-lo.

— Confesso que fiquei surpreso com a sua visita, mas gostei muito de te reencontrar também. Acredito que este não seja o melhor momento para conversarmos, mas gostaria de manter contato. Queria reencontrar o povo da turma e alguns professores, como a Lúcia. Me passe o seu número.

Trocamos os telefones e já a adicionei no Facebook. Depois de nos despedirmos, não tive força para pensar em outro assunto que não fosse arquitetar as minhas últimas três mortes.

Fiquei conversando com a Clara eventualmente pelo Facebook. Ela sempre se mostrava prestativa e alegre por conversar comigo, muito diferente do que era há uns dez anos. Marcamos de nos encontrar apenas em janeiro, já que estávamos na metade de novembro e eu ainda mantinha o luto, e dezembro era época das festas, confraternizações.

Minha filha, sei que não foi o Natal que você desejava, mas não podia ser diferente. Ficamos em casa com a família, sem muita comemoração.

Nesse período foi marcado o julgamento do Humberto para o dia 5 de dezembro de 2012, e a mídia já não me perseguia mais como nas semanas depois do assassinato da sua mãe. As coisas tinham melhorado um pouco.

No fim do julgamento, Humberto foi condenado a quase dez anos de prisão, mas com menos de três já deveria estar nas ruas. O lado bom é que ele havia perdido a família, os amigos, o emprego e talvez ganhasse um companheiro na cadeia; porém, logo ele estaria solto e poderia sair mais perigoso ainda, querendo vingança contra a nossa família. Mas nunca ia permitir que ele se aproximasse de você, minha filha. Depois de 2013, eu não tinha intenção de matar mais ninguém na minha vida, mas se fosse necessário protegê-la, eu não hesitaria.

Como ficou combinado, no dia 18 de janeiro de 2013 houve um encontro da minha antiga turma. Cheguei ao Beirute da Asa Norte meia hora depois do combinado, conhecia poucas pessoas, fui cumprimentando todos e me sentei perto da Clara, que fez questão de puxar uma cadeira para mim ao seu lado.

A conversa estava animada e todos participavam ativamente. A princípio estava pesada em virtude dos crimes, mas aos poucos o clima melhorou e os assuntos foram se desviando e variando. Se eles tivessem me tratado assim há catorze anos, as coisas hoje seriam diferentes.

A Clara nitidamente flertava comigo, de forma contida, mas flertava e me tocava nos braços e nas pernas com frequência. Não sabia como me portar, pois havia ficado casado por muitos anos, e ainda era uma pessoa introvertida no campo das relações pessoais. Além disso, o principal, eu odiava aquela pessoa. Lúcia, minha antiga professora, também estava presente. Ela tinha 42 anos, mas era extremamente sensual, não era grande, mas tinha uma estrutura óssea avantajada para uma mulher. O seu cabelo curto fazia com que o rosto se destacasse mais ainda, o que não era difícil devido aos seus olhos verdes e pele de menina. Ninguém que soubesse a idade dela falaria que ela tinha mais de 35. Pouco pude conversar com ela, mas trocamos alguns olhares, e isso fazia parte do meu plano. Provocá-la a pular a cerca era algo fácil. Uma vez puta, sempre puta.

Não bebi muito e falei que tinha que ir embora, pois tinha uma filha linda para cuidar, e acordaria cedo para trabalhar no outro dia. Despedi-me prometendo que adicionaria todos no Facebook.

No sábado, praticamente todos tinham aceitado as minhas solicitações e continuei conversando com intensidade com a Clara. Já com a Lúcia, eu prestava atenção apenas no que ela postava. Descobri que ela dava aula numa faculdade, o IESB, onde eu já tinha ido algumas vezes como convidado, como palestrante. Nunca tive o desprazer de encontrá-la no local.

Resolvi vigiá-la mais de perto durante alguns dias antes de colocar o meu plano em ação. Rondava a casa dela no Sudoeste e a faculdade na qual ela dava aula. Então, numa terça-feira, liguei para a faculdade onde Lúcia era a coordenadora e marquei com a secretária dela um horário; falei que era um velho conhecido e queria conversar sobre assuntos profissionais. Ela marcou para eu chegar à faculdade às 16 horas daquele mesmo dia.

Compareci no horário marcado e logo fui atendido por Lúcia.

— Fiquei surpresa com a sua visita. Depois de tanto tempo sem nos vermos, agora já está virando uma constante. O que é algo muito agradável. — Ela deu um sorriso. — Quais assuntos profissionais você gostaria de falar comigo?

— Como não pudemos conversar muito durante o encontro, quis te ver hoje. Gostaria de ver com você se há alguma chance de eu dar aula aqui na instituição. Sempre sonhei em ser professor. Não me disseram que você era coordenadora de um curso da faculdade, só descobri depois, fuçando o seu perfil no Facebook. Lógico que a minha pergunta é só para saber se há possibilidade, não quero te colocar numa situação ruim e muito menos te pressionar.

— Não tem problema, Harold. Aliás, Harold é muito mais bonito que Haroldo. Você fez bem em trocar de nome. Sempre recebo profissionais aqui para serem entrevistados e a rotatividade no mercado de ensino é alta. Mas, infelizmente, no momento não estamos contratando, porém nada me impede de colocá-lo na lista de preferência. Acredito que você não tenha trazido o seu currículo, certo? Fique com o meu cartão, me passe o seu currículo e um resumo da sua especialidade, mas seria bom eu fazer um teste com você. Poderíamos marcar algum dia para você cozinhar para mim. O que acha?

Por um momento, achei que ela deixaria passar a minha provocação, mas devia estar se coçando para falar do assunto mais importante.

— Então, você está me espiando pelo Facebook? Confesso que também fiquei navegando pelo seu.

Fiquei vermelho, não de propósito, mas ela gostou. Ela sorria para mim com um jeito de menininha sapeca que sabia que tinha feito besteira. Suas sobrancelhas sorriam mais que a sua boca. Tentei ter menos vergonha e falei:

— Para mim está perfeito. Passarei todas as informações, mas já adianto que a minha especialidade é um tanto quanto fora do comum, sou especialista em alimentos umamis, mas isso não quer dizer que eu não entenda de outros pratos.

Sorri de maneira angelical para ela, que retribuiu. Ficamos conversando por mais algum tempo até que entrei no assunto que mais interessava.

— Fiquei sabendo que o seu marido está com problemas de saúde. Uma pena, sinta-se abraçada. Será que poderia visitá-lo? Ele sempre foi uma inspiração para mim.

— Poxa, Harold, ele ficaria muito feliz em te receber; ele quase não recebe visitas e isso o deixa muito triste. Hoje eu tenho compromisso às 21 horas, inclusive um ex-aluno meu vai cozinhar para mim, seu concorrente — Lúcia começou a rir —, mas estou com o tempo livre a partir das 19. Passa lá em casa nesse horário. Depois dessa visita, já marcamos outro dia para você voltar lá em casa ou então eu ir à sua para você fazer algo excitante para mim.

Depois de me passar o endereço, nos despedimos e eu fui dar continuidade ao plano. Hoje a vingança seria a minha querida companheira e mais uma alma seria levada.

Passei na obra para falar com os pedreiros e ver como estava o andamento, mas o principal motivo era para pegar o veneno de rato à base de tálio que eu tinha comprado para acabar com essas pestes.

Filha, o tálio é um veneno não muito conhecido, porém muito potente. Hoje é proibido o uso de venenos de rato com base em tálio, mas esse, quase puro, eu tinha conseguido de forma não muito legal, nessas feiras que vendem produtos piratas e são legalizadas pelo governo. Lá se encontra de tudo.

O tálio não tem gosto nem cheiro e em doses acima de 800 miligramas é mortal. Não, filha, não sou um psicopata que estuda qual o melhor veneno para matar uma pessoa; descobri esse poderoso pó vendo o filme *O Livro Secreto de um Jovem Envenenador,* que é sobre um *serial killer* que mata as pessoas usando tálio. Gostei do filme e guardei essas informações. Depois, quando comecei a desenhar a vingança contra a família Silva, eu lembrei que poderia usar esse método contra o já enfermo Juscelino Silva, marido de Lúcia.

Entre os muitos sintomas que o veneno acarreta, dois deles são: problemas no coração e paralisia muscular, problemas que não chamariam muito a atenção. Além disso, ele causa depressão profunda e desejo de morrer. Enfim, Lino teria uma morte dolorosa.

Usar veneno é bom, pois jamais vão detectar a presença dele no corpo de um velho que já estava moribundo.

Antes de executar o meu plano, como qualquer bom cavalheiro, passei em casa e peguei da minha adega o excelente vinho *Château Destieux 2010.* Não podia chegar na casa dos outros de mãos abanando, e tenho que causar boa impressão.

Durante todo o percurso até a quadra 300 do Sudoeste, tentei manter a calma e a concentração, apesar de esse ser o assassinato que menos me daria trabalho. Por outro lado, era o assassinato mais perigoso, pois teria outras pessoas por perto. Então, tudo tinha que ser muito bem planejado.

Fui recepcionado pela empregada da casa, porém logo Lúcia apareceu e conversamos um pouco. Ela gostou muito do vinho, disse que eu não precisava ter me incomodado e se mostrou cada vez mais interessada em mim, e já não disfarçava os olhares. Ela continuava sendo a mesma vagabunda de sempre.

Fomos para o quarto onde se encontravam Juscelino e a enfermeira. O estado dele era deprimente, estava raquítico, quase não falava, ficava sempre encarando as pessoas com os olhos cheios de lágrimas. Ficamos nós quatro no quarto conversando. Mostrei-me triste com a doença dele e procurei parecer interessado pelo sofrimento dele e da família.

Filha, já fui fumante, e reconheço que foi um dos piores pecados que já cometi. Espero que você nunca fume. O câncer de pulmão é devastador e geralmente está ligado ao tabaco. A expectativa de vida de quem adquire essa merda é de cinco anos, caso tenha sorte. Lino sofria há dois anos com a doença, e não parecia que completaria o terceiro ano, caso eu não interviesse.

Lúcia me contou que antes do câncer, semanas antes de descobrir a doença, ele teve a segunda parada cardíaca e que hoje em dia estava depressivo. Há um mês não falava mais; quando tentava, tossia muito e ficava cansado.

Relatou também que os dois filhos do primeiro casamento não o procuravam, pois deixaram de falar com ele por não concordarem com o casamento com ela. Afinal de contas, ele era casado há vinte anos e, quando saiu de casa, fez questão de não deixar nada para a primeira família.

Chegava a dar pena do estado dele e do que vinha sofrendo. Mas eu não podia fazer nada. Não poderia deixar um sentimento tão ruim, a pena, afetar o meu serviço. Ele já estava pagando pelo mal que fez aos outros, não a mim.

Depois de conversarmos bastante, a enfermeira foi na cozinha para pegar a sopa do Juscelino, e Lúcia deu a ordem para que ele comesse tudo. Ela me pediu licença, pois tinha que se arrumar, então fiquei sozinho com o meu antigo coordenador e já fui conversando com ele.

— Lino, uma pena que você não pode falar comigo hoje. Aliás, nunca foi do seu feitio falar muito, não é? Sempre deixou que me sacaneassem, nunca intercedeu por mim. Se você tivesse falado uma só palavra, talvez tudo fosse diferente. Acredito que logo você se arrependerá de todo o mal que me causou.

Nisso me virei para a bancada onde estava o suco que ele ia tomar para acompanhar a sopa. Sabia que o suco era para ele, pois a enfermeira havia falado para Lúcia que o suco já estava pronto.

A bancada ficava num ponto cego dele. Sendo assim, consegui misturar cerca de quinhentos miligramas no suco, na qual uma colher descansava pronta para mexer o açúcar. Guardei o restante para tentar misturar na comida. Apesar de que a quantia que eu havia usado o faria morrer em uma semana ou menos, mas eu queria adiantar ao máximo o processo.

Depois de adicionar o veneno na dieta dele, virei-me e vi que ele me observava assustado. Então, continuei falando:

— Sabe, Juscelino... Desculpa, você gosta de ser chamado de Lino, certo? Ah, esqueci que você não pode responder. Você vai morrer no máximo em cinco dias. Aguente firme, não morra hoje à noite, pois não queremos atrapalhar a foda da sua esposa com um ex-aluno dela. Ela transa aqui no seu quarto para você participar, ou ela te trai escondido? Seja forte, meu amigo.

Lino não se segurou e começou a chorar de forma mais intensa. Nessa hora, a enfermeira voltou ao quarto. Então eu disse que ele tinha começado a chorar naquele momento e era melhor ela pegar uma toalha limpa para passar no rosto dele. Como era de se esperar, ela deixou a sopa na mesma bancada e foi buscar a toalha. Despejei mais um pouco do veneno na sopa e saí do quarto, não sem antes dar um tapinha na perna do Lino e pedir-lhe para ser forte e não morrer nesta madrugada. Por pouco, não dei um beijo na testa dele, mas fiquei com nojo daquela pele semimorta.

Lúcia me encontrou na sala e voltamos a conversar. Disse que a conversa com Lino fora agradável, deu para perceber que ele havia gostado da minha visita; porém, depois que fiz alguns elogios, a ele, começou a chorar e parecia emocionado, por isso resolvi sair do quarto. Não queria que ele passasse mal.

Ela foi ver o marido e conversar com a enfermeira. Assim que retornou me disse que já estava tudo bem, que ele já estava jantando, até tentou falar alguma coisa, mas novamente não teve forças. Ela declarou que a minha presença devia ter sido boa, pois fazia mais de um mês que ele não tentava falar com ninguém.

Fiquei animado com essa possível evolução dele, pedi desculpas pelo problema que poderia ter causado e me despedi.

Como boa anfitriã, Lúcia me conduziu até a porta. Na hora de me despedir, coloquei a mão na cintura dela e dei um beijo demorado e cheio de malícia em seu rosto, o que a pegou de surpresa, mas a excitou. Por fim, ela disse que deveríamos marcar o quanto antes de eu cozinhar para ela.

Na quarta-feira, tarde do dia 20 de fevereiro, apenas dois dias depois de visitá-la, li no Facebook de Lúcia que o seu marido tinha piorado e estava em coma num hospital próximo a sua casa no Sudoeste. Ela pedia que rezássemos por ele. Filha, a hipocrisia está em todos os lugares.

Na quinta-feira pela manhã, a postagem dela na madrugada avisava que o seu marido havia falecido em decorrência de uma parada cardíaca há poucas horas. Houve a tentativa de ressuscitação, mas ele não aguentou. Ela completava a postagem afirmando que logo avisaria aos familiares, amigos e alunos onde e a que horas seria a missa e o velório.

Na hora, mandei um WhatsApp para ela, lamentando a morte e a consolando. Avisei que não compareceria ao velório, pois ainda estava traumatizado com o local, após a perda da minha esposa. O que não deixa de ser verdade, apesar de o real motivo de eu não ir ao velório do Lino fosse o medo de ser a única pessoa feliz por lá.

Mais uma pessoa má havia desistido de viver. Fiquei um pouco apreensivo, pois Juscelino Silva havia ficado internado num hospital, tive medo de terem descoberto que ele havia sido envenenado. Mesmo sabendo que a possibilidade de alguém descobrir era mínima, não é bom ficar contando apenas com a sorte.

Já havia me livrado do restante de tálio que eu tinha levado e que tinha na obra. Dispensei em bocas de lobo, onde eu sei que há grande concentração de ratos. Acabei fazendo duas boas ações para a minha amada Brasília.

Filha, desta vez fui um pouco arrogante, pois já tinha comprado a minha faca de lembrança, mesmo antes da morte do senhor Silva. A faca de cerâmica possuía o cabo verde, e eu a havia comprado em uma loja da Asa Sul, para não comprar sempre no mesmo local.

Aumentei o som, que na hora tocava *I Thought It Was You,* e continuei usando a faca verde para fazer o nosso café da manhã.

CAPÍTULO 6
Aquele que vive com medo

Apesar de não ter ido ao enterro do Juscelino, fiquei sabendo que Clara continuava falando um monte de merda, citando suas teorias sobre a maldição da nossa turma e outras baboseiras. Mas naquele momento comecei a pensar melhor e fiquei apreensivo, pois realmente era uma maré de azar muito constante e em pouco tempo ao redor dos ex-alunos da ECCC e de suas famílias. Durante duas semanas, fiquei sem pensar na minha vingança, sem conversar com os meus novos amigos e esperando que a dupla Charles e Jacques, ou qualquer outro policial, viesse me procurar. Até o final do mês de fevereiro, fiquei paranoico, observava se estava sendo vigiado, se alguém me seguia, se alguém invadia minha vida virtual. Aparentemente ninguém se importava com a teoria da Clara, ou se se importava, eu não era tão suspeito assim.

No fim de março, tirei férias para podermos viajar, toda a família junta. Você já tinha passado por momentos angustiantes que nenhuma criança merecia passar, apesar de não demonstrar estar muito abalada com a perda da sua mãe, essas lembranças sempre se alojam no fundo da alma. Eu queria dar um pouco mais de alegria à sua vida. Fomos para os parques da Disney e você se divertiu muito, era reconfortante ver você e seus avós curtindo momentos da mais pura alegria.

No começo, estava um pouco temeroso de entrar nos Estados Unidos, mas não podia negar uma viagem que sua avó pediu. As férias foram tão boas que em nenhum momento eu pensei no André. Só queria saber de diversão, ver televisão, comer muita *junk food*. Às vezes, é bom esquecer a paranoia da alimentação e comer porcarias, passear e acompanhar vocês nas compras.

A segunda metade da nossa viagem foi nas Ilhas Cayman, para descansarmos na praia, e o mar do Caribe só perde para as belezas do Pacífico do Oeste da Terra.

Ficamos no Southern Cross Club durante cinco dias e foi maravilhoso, nunca estivemos tão juntos, minha princesa. Como eu guardo com carinho aqueles dias. Meu Deus! O hotel era de excelência, tudo muito bonito, tudo muito calmo e *clean*, era o lugar perfeito para a paz imperar. Divertimo-nos como nunca antes, e ali eu descobri o quão bom pai eu era.

Esse ambiente de paz e tranquilidade era perfeito para ouvir um bom jazz. Num domingo à tarde, quando você e seus avós voltaram para o chalé para dormir, fiquei na praia ouvindo as músicas do álbum *My Point of View,* de Herbie Hancock. Foi justamente nessa hora que coloquei a cabeça no lugar e comecei a desenhar os dois atos finais. Queria que tudo fosse perfeito e sem causar muita comoção e, principalmente, que o intervalo entre as duas mortes fosse bem curto, pois a teoria de Clara poderia começar a ganhar mais força. Não estava a fim de clamor local, pois só assim para as investigações serem levadas mais a sério. Apesar do meu perfeccionismo e da minha capacidade intelectual, eu poderia, sim, ter cometido algum pequeno deslize, o que poderia acarretar na minha prisão e, desse modo, me afastar de você e ser motivo de tristeza para os meus pais. Não tinha mais espaço para amadorismo, as duas próximas mortes seriam perfeitas e não levantariam suspeitas.

Assim que retornamos ao Brasil, comecei a colocar a parte final do plano em ação. Só faltavam duas.

Mais uma vez, graças ao Facebook, consegui me encontrar com a Lúcia casualmente no Ceasa. Nosso encontro foi melhor do que poderia imaginar, eu estava só e ela, com a dona Lurdinha, a simpática empregada da casa, que havia me visto quando fui visitar o Lino, ficamos conversando por um bom tempo, enquanto a sua secretária fazia o restante da feira.

Mais uma vez, a libido da minha ex-professora falava mais alto e claramente ela se jogava para cima de mim; não conseguia nem manter o luto que era necessário para a ocasião. Filha, como é nojento uma pessoa que não respeita a vida das outras. Ela ficava se encostando o tempo todo, além de elogiar a minha beleza. Além de falar que são poucos os *chefs* de cozinha que cuidavam do corpo como eu cuidava do meu. Essa aproximação dela já fazia parte do meu plano, sabia que ela não iria conter o próprio desejo, e dessa forma marcamos de nos encontrar no meu novo restaurante. As obras do restaurante estavam na fase final, demorou mais que a obra da antiga igreja que eu frequentava; mas, diferente da obra da igreja, a do restaurante não arrecadou dinheiro dos outros, tudo saiu do meu próprio bolso; talvez por isso a demora. Já estávamos no começo de março e a inauguração estava prevista para abril. Tanto eu quanto Lúcia usamos como desculpa a ida dela para conhecer o espaço e opinar sobre os pratos que iriam entrar no cardápio.

Marquei a visita dela para um horário em que os pedreiros não estivessem presentes no local, pois não gostaria que as pessoas nos vissem juntos. Isso poderia atrapalhar meus planos e, nesse momento, qualquer descuido poderia ser a minha passagem para a cadeia, pois a polícia estava investigando. Mesmo sem ter certeza, eu pressentia o avanço das investigações.

Não queria uma aproximação sexual com ela, filha. Porém, foi necessário para o bom funcionamento do plano, e logo você entenderá por quê. Por respeito a você, não irei entrar em detalhes, mas basta saber que tive que usar aditivos químicos para fingir excitação.

Então, na segunda à noite, ela apareceu no restaurante. Mostrei-lhe toda a obra. Tudo estava mais limpo, embora longe do ideal. Naquele momento, pensei em trair o meu planejamento e matá-la ali, pois tive várias oportunidades. Sempre tinha um martelo, uma marreta, um serrote e uma máquina de atirar prego ao alcance das mãos. Podia afundar a cabeça dela com uma marretada. Seria lindo, mas sujaria todo o chão, e não estava com vontade de passar a noite limpando a sujeira e, principalmente, deixando rastros da minha vingança.

Ficamos conversando por um tempo. Ela conseguiu ficar longe de mim, o que me impressionou um pouco. Fui para a cozinha fazer dois pratos para o nosso jantar. Tudo correu bem, ficamos lá até quase duas da manhã. Depois do que aconteceu, combinamos para o próximo final de semana uma viagem romântica para Pirenópolis, já que no domingo ela havia me confidenciado que ia viajar para Paris, para descansar, e depois começar um curso de culinária.

Convenci-a a ficarmos cada um em um hotel diferente em Pirenópolis, pois ainda guardávamos luto e não seria adequado nenhum dos nossos amigos ficar sabendo do nosso envolvimento. Também disse que não me sentia confortável perante a minha família. Ela acatou a decisão, bem contrariada, mas aceitou.

Também a convenci a apagar o Facebook, pois as pessoas poderiam ficar a julgando quando ela comentasse ou postasse fotos de Paris. Depois de muita explicação e exemplos, mostrei como as pessoas são invejosas e como as redes sociais podiam ser prejudiciais a nossas vidas. Mal sabia ela que foi uma rede social que decretou a morte dela.

Então, no dia 15 de março, fomos a Pirenópolis. Ficou combinado que ela iria se hospedar na Pousada dos Pireneus, e eu ficaria na Pousada Tajupá. Na verdade, nenhum dos dois deu entrada na pousada.

Lúcia iria para Pirenópolis de táxi, para não levantar suspeitas e para ficarmos com um carro apenas; no domingo eu a levaria direto para o aeroporto. O seu voo estava marcado para o começo da noite. Dessa forma, na quinta à noite, ela me deu as malas para eu levar. Fiquei apreensivo de a Lúcia descer com a empregada, o que, para minha sorte, não aconteceu.

Quando ela desceu ficamos conversando. Ela explicou que o filho ficaria com os avós maternos, pois não podia perder seis meses de aulas no colégio. Eu queria ir embora logo, pois ela ficava me abraçando, tentando fazer carinho. Na cabeça dela, já tínhamos um relacionamento. Nunca consegui entender a carência das pessoas.

Para despistar seus avós, filha, eu havia falado que ia passar o dia inteiro no restaurante formulando o cardápio e não queria ser incomodado, algo que realmente eu iria fazer no futuro. Avisei que passaria o dia e, se necessário, a madrugada no restaurante e que não me ligassem, pois o celular estaria desligado. Na quarta-feira, eu já havia dispensado os pedreiros de irem na sexta. Acordei na sexta, às 7 horas e fui ao restaurante, deixei o carro e o celular desligados por lá.

Dormi menos de cinco horas, fiquei preocupado de o cansaço atrapalhar o plano, e nesse caso o plano dependia de esforço físico e mental durante todo o dia. Quando saí do restaurante fui de ônibus até uma locadora de carro no Setor Hoteleiro Norte e me certifiquei de que poderia entregar o veículo no dia seguinte.

Durante a minha ida para a cidade histórica, eu me livrei das duas malas. A maior parte das roupas eu joguei antes de chegar a Cocalzinho, quando entrei numa estrada de terra e andei por algum tempo. Já havia rearrumado as malas da Lúcia na quinta à noite e fui dormir bem tarde naquele dia. Fiquei impressionado com a quantidade de roupas que ela possuía, bem como sapatos, maquiagens e outras besteiras. E pior, se conseguisse embarcar de verdade, decerto compraria muito mais. Tudo o que tinha identificação, como passaporte, passagens, inscrição do curso de culinária, reserva de hotel e outros documentos, eu deixei num saco separado, que continha, digamos, um pouco de tinta vermelha de parede. O restante dos objetos da Lúcia eu deixei dentro das malas.

Fui jogando as roupas e os demais objetos pelo caminho, nada ficou visível, mas também não tão oculto, pois alguém tinha que achar as roupas e usá-las. Por último, joguei as malas fora. No lugar mais escondido possível, pois eram de excelente qualidade e, por serem muito caras, achei que poderiam ser rastreadas, caso descobrissem o corpo da Lúcia com rapidez. Tive que fazer três paradas para poder me livrar de quase tudo. Andei mais do que era necessário, pegando outros caminhos. Todo bônus tem seus ônus, filha.

Como eu tinha saído de Brasília pela manhã, cheguei primeiro em Pirenópolis. Lembro como se fosse hoje. O fim da viagem foi ao som de *A Change Is Gonna Come*; Herbie Hancock sempre me acalmava. Fui até todos os pontos onde a ação iria acontecer, tinha que fazer um reconhecimento prévio. Depois rodei um pouco pela cidade, esperando o tempo passar, sempre procurando ficar em locais com muito movimento. Estava com um boné que tampava parte do meu rosto, além de óculos escuros.

Gostava muito de ir à Pirenópolis, apesar de achar uma cidade de interior igual a várias que já conheci. Contudo Pirenópolis tinha algo mágico para o povo candango. Ela energizava a alma, acalmava o ser. Existem várias pousadas que são de alto nível, bons restaurantes. Além disso, a natureza trazia paz ao coração. Sorte a minha que essa paz no coração foi bem moderada.

Havia comprado um celular novo, totalmente descartável, e um chip pré-pago que eu tinha comprado no Setor Comercial Sul. Começava a achar que eu estava muito bitolado com essa questão de não ser rastreado. Ligava para a Lúcia apenas quando necessário. Avisei-a de que o meu outro celular estava descarregado e estava usando um da empresa e que ela não precisa salvar o número, pois logo ele seria desativado.

Já estava entediado e ansioso. A última hora demorou uma eternidade para passar. Aguardei-a em frente à pousada onde ela iria se hospedar. Quando Lúcia chegou, expliquei que tinha feito reserva num restaurante para podermos jantar e disse que havia pensado melhor e iríamos nos hospedar na mesma pousada.

Então ela, como uma víbora, fez o seguinte comentário:

— Gostei de ver, Harold, agora você teve atitude de um homem. Gosto do seu jeito, mas você é muito preocupado. Deixe o mundo pensar o que quiser. Se liberte e seja feliz.

Tentei levar na esportiva, mas aquele comentário me deixou com muito mais raiva dela. Essa mulher não tinha bom senso. Como as pessoas podem ser prepotentes ao ponto de achar que sabem o que é melhor para o outro? Para isso, existem os psicólogos, que, na verdade, ajudam a enxergar as alternativas. Quase respondi que se eu quisesse conselho eu pagaria por ele a alguém qualificado e não a uma puta.

Dirigi por meia hora, acabei me perdendo dentro da "enorme" cidade. Minha excitação e raiva estavam atrapalhando o meu raciocínio. Depois do comentário estapafúrdio da Lúcia, eu me concentrei em voltar a ter um clima bom no carro. A nossa conversa foi tão animada que ela nem percebia que eu me afastava da cidade. Conversávamos sobre trivialidades, até o momento que decidi entrar na intimidade dela.

— Lúcia, a última segunda foi muito boa. Fazia tempo que eu não tinha uma experiência tão boa. Você é muito fogosa, aliás, um furacão.

Ela sorriu. Qual mulher não gosta de ser elogiada?

— Concordo que foi maravilhoso, e as coisas só são boas

quando os dois contribuem, e eu achei excelente.

— Desculpe a minha próxima colocação, mas fiquei imaginando o quanto você sofreu com a doença do Lino. Pelo estado dele e pelo que você já me contou, acredito que foram alguns meses sem contato sexual nenhum, correto?

— Não foram alguns meses, lindinho, foram vários meses, havia anos que eu não tinha mais contato sexual com ele. Porém, sorte a minha que eu tinha alguns brinquedos em casa. Além de eventuais puladas de cerca, claro. Não me julgue, mas você não sabe o que é ficar necessitado. Sexo é uma droga altamente viciante.

— Lógico que não te julgo, se eu estivesse no seu lugar eu teria pulado a cerca várias vezes. — Mentira minha, filha, só queria fazê-la falar mais. — Você tinha algum amante fixo?

— Desculpa, Harold, mas essa pergunta eu prefiro não responder, acho que já entra demais na minha intimidade. Vamos nos concentrar no hoje.

Foi nítida a mudança em seu semblante. Queria ter avançado mais e continuado com as perguntas inconvenientes, para me encher ainda mais de raiva. Ela ficou sem falar por um tempinho e com o rosto virado para a janela. Quando chegamos à parte de estrada de terra que não tinha mais iluminação, ela ficou aflita.

— Harold, para onde estamos indo? Aqui não é perigoso? O que você vai fazer comigo? Não estou gostando disso.

Eu que não gostei do comentário dela. Fiquei pensando se ela estava imaginando o que poderia acontecer a ela. A reação de Lúcia me preocupou, pois achei que ela poderia resistir muito.

— Não se preocupe, minha querida, conheço essa região. Não tem nada de perigoso aqui. Você não imagina o que tenho em mente, mas você vai gostar.

Dei uma risada safada, e na hora ela desamarrou a cara, apesar de estar, no mínimo, curiosa para saber aonde íamos. Continuei dirigindo por mais alguns minutos e percebi que ela voltou a ficar aflita. Estava muda e observava os detalhes do caminho que fazíamos.

— Nunca duvide do romantismo de um homem...

Quando acabei de falar, parei numa área de escape, onde não havia sinal de vida humana e nem de luz. Apaguei o farol, peguei a minha arma de eletrochoque e descarreguei no pescoço de Lúcia, que ainda olhava curiosa pela janela. Ela se tremeu toda. Andei com o carro mais para dentro da mata, para que ficasse bem camuflado. Quando parei em definitivo, preparei o clorofórmio, para usar quando ela acordasse.

Enquanto estava desmaiada, algemei os pés e as mãos dela com os equipamentos de *bondage* que havia comprado, além da bola para a boca. Como ela era viciada em sexo, nada melhor que morrer com alguma lembrança boa.

Carreguei-a amarrada um pouco mais para dentro da mata. Horas mais cedo, estive no local e cavei uma cova. Algo que não é fácil nem rápido de se fazer e que, no exato momento, me causou dor na lombar, mesmo malhando todo dia e fazendo exercícios para as costas. Mas trabalho braçal sempre será mais intenso que qualquer academia.

Como era de se imaginar, ninguém havia mexido no buraco. Levei-a até a cova. Ela continuava desmaiada depois que a fiz cheirar um pouco de clorofórmio. Joguei-a no chão com bastante força, onde havia mais pedras, e voltei para o carro para pegar a pá e a lanterna no porta-malas.

Quando voltei com a lanterna acesa, encontrei-a acordada, chorando e tentando gritar.

— Boa noite, querida professora! Pare de tentar gritar, pois não quero falar alto. Um bom professor deve falar baixo e não disputar o ambiente com os filhos mal-educados das putas.

Ela se calou, apesar de continuar chorando. Achei que ela merecia uma explicação do motivo pelo qual iria morrer. Sempre é bom fazer a pessoa refletir por alguns segundos que se não tivesse sido tão ruim continuaria viva, ou seja, antes de matar os meus inimigos, eu os fazia sofrerem com a culpa.

— Você deve estar se perguntando o porquê disso tudo. A explicação é simples: você, como professora, foi displicente, não tinha pulso forte, deixava seus alunos sofrerem *bullying*. Aliás, você participava do *bullying*. Você, Lúcia, é uma pessoa má, só pensa em sexo, só quer o prazer da carne. Você foi uma péssima professora, péssima esposa, e deve ser uma péssima mãe também. Então, vou fazer um favor ao seu filho. — Comecei a rir e continuei: — Na verdade, estou me lixando para o seu filho.

Voltei a sorrir e fui empurrando-a para a cova. Nesse momento, ela tentava gritar com todas as suas forças.

— Já matei o seu marido, a Patrícia e o André. Você logo os encontrará no inferno. — Ela fez cara de espanto e chorou mais ainda. — Você se lembra da época em que eu tinha aula com você? Você se lembra como a turma me tratava? Como você me tratava? Podemos dizer que isso foi um pouco traumático para mim.

Novamente ri alto e olhava para a cara de espanto dela.

— Acho que você quer falar alguma coisa, certo? — Ela balançou a cabeça positivamente. — Você nunca me deixou falar nada, nunca me defendeu, então não vejo motivo para fazer isso com você. Perceba que estou apenas te imitando. Você foi uma das cinco pessoas que mataram a minha alma. Agora chegou a minha vez de matar vocês.

Quando ela menos esperava, descarreguei de novo a arma de choque nela. Arma que tinha mais de cem milhões de volts e que tinha comprado no mercado negro de Brasília. Depois, ao perceber que ela já não se mexia, tirei-lhe as algemas e a bola da boca e as joguei no buraco. Antes de enterrá-la, cravei a pá em sua garganta. Apesar de toda a força que usei, não consegui separar a cabeça do corpo. Pensei em bater mais algumas vezes, para ver se conseguiria separar, mas as minhas costas doíam demais, e eu ainda precisaria de forças para enterrá-la. Mas não precisava me preocupar, pois ela já estava morta. Cobri a cova de maneira que ficasse bem enterrada e tomando o cuidado para que a terra permanecesse no mesmo nível do restante do terreno. Joguei algumas pedras e galhos de árvores para não dar a sensação de que a terra fora remexida. Agora restava torcer para que São Pedro me ajudasse e chovesse logo na região.

Quase duas horas depois, o meu serviço já estava encerrado. Recolhi tudo e voltei caminhando sereno para o carro. Apesar de ter ficado tanto tempo na mata, não estava preocupado com possíveis testemunhas, pois o meu carro estava muito bem escondido. Alguém só o veria se tivesse parado na área de escape, e não ouvi nenhum carro passando no local.

Ao sair da mata, peguei direto o caminho de volta para Brasília. Um pouco depois da saída de Pirenópolis, parei numa estrada de terra secundária, onde não tinha casas por perto. Despejei os documentos que estavam na bolsa da Lúcia dentro do saco de lixo com a tinta e onde o restante dos documentos já estavam, ilegíveis. Também peguei um galão de gasolina que levava no porta-malas. Queimei tudo. Com a quantidade de gasolina que havia colocado, era impossível não destruir todas as provas. Não fiquei por muito tempo, pois o fogo poderia chamar a atenção de algum carro que passasse na rodovia.

Ainda durante a volta, parei em postos de gasolina diferentes e fui deixando a luva, a lanterna, o equipamento de *bondage*, a roupa que usei para cavar e a roupa que usei durante o assassinato. Já vestia uma terceira roupa, as outras duas eu havia comprado durante a semana, nunca tinha usado antes. Sempre me certificava de que não tinha nenhuma câmera de segurança ou pessoas me observando. Fazer esse esquema é a melhor coisa, pois ou iriam recolher o lixo e descartar tudo em algum lixão, ou uma pessoa qualquer iria pegar as minhas evidências e acabaria deixando o seu DNA nas provas, isso se algum dia essas provas fossem encontradas. Eu deveria confiar mais na ineficácia da polícia brasileira. Perdia tempo demais eliminando as provas, já estava me cansando disso tudo. Porém, o meu perfeccionismo sempre vai falar mais alto.

Ainda joguei fora umas peças de roupas pelo Distrito Federal. A pá foi a última a ser descartada, joguei-a no Lago Paranoá, próximo à ponte do Bragueto, pois queria voltar logo para o restaurante.

Cheguei ao restaurante quase às 5h30 da manhã. O dia já estava amanhecendo. Não podia ir para casa àquela hora. Tentei dormir, mas não consegui, pois outra vez a emoção tomou conta de todo o meu ser. Fiquei analisando tudo que eu tinha feito, para ver se havia cometido algum erro. Consegui cochilar um pouco. Quando acordei, fui desesperadamente procurar uma farmácia, pois minha lombar doía demais, quase não consegui me levantar da cama. Depois de comprar o remédio, levei o carro para uma lavagem completa para depois entregá-lo à locadora. Em seguida, ainda teria que ir de ônibus para pegar o meu carro. Como a vida de uma pessoa honesta era complicada...

Depois de tudo resolvido, já na hora do almoço, necessitava ir para casa para descansar e focar novamente no restaurante. Agora só faltava matar a Clara, mas a minha vida pessoal não podia parar. Na realidade, a morte da Clara só aconteceria após a inauguração do restaurante. Então, tinha que apressar a inauguração. Pena que me apareceu uma pedra no caminho antes do ato final. Meu psicólogo quis virar um investigador policial.

CAPÍTULO 7
Caçador de talentos

Depois de um domingo inerte no sofá, acordei cedo na segunda para ler os jornais da região. Nada. Entrei no Facebook e nenhuma menção a Lúcia. Como já imaginava, estava bem protegido.

Dirigi até a Dular da 213 Norte para comprar uma nova faca, desta vez uma preta. Não que eu estivesse de luto, estava muito feliz. Mas a cor preta sempre me fascinou. Depois fui para a 413 Norte, ver as obras do restaurante. Essas duas quadras sempre me encantaram, acredito que logo mudaremos para a 213 ou 214. Região tranquila, com o parque logo abaixo. Isso é qualidade de vida. Além disso, você sempre gostou de ir ao Parque Olhos d'Água, principalmente para brincar com os patos no lago.

As duas áreas comerciais também eram muito boas, com muitos e bons restaurantes. Já éramos quase sócios do El Negro de tanto almoçarmos lá quando a sua mãe era viva. Aquele pedaço era bucólico ainda e mais úmido que o restante da Asa Norte.

O fundo do restaurante dava para o parque, o que o deixava mais aconchegante e ao mesmo tempo bem elegante. A cozinha já estava quase toda pronta e pensava na decoração que usaríamos. Já havia contratado uma profissional que tinha decorado vários restaurantes conhecidos de São Paulo. O valor do serviço dela era muito alto, mas economia burra sempre servirá apenas para quebrar o negócio. Lembre-se disso, filha.

Após sair do restaurante, fui correr no parque, porém o da Cidade, gostava mais de lá, pois o percurso era maior e mais plano. O horário de 11 da manhã não é o melhor, mas pelo menos o parque estaria vazio. Troquei de roupa enquanto dirigia, não sei por que ainda tinha essa mania, mesmo antigas algumas manias nunca somem.

Corri quatro quilômetros em vez dos seis habituais, pois realmente estava muito quente, na verdade mais abafado que quente. As minhas costas ainda doíam, mas menos que antes. Percebi, depois do meu desempenho da última sexta, que o meu preparo físico estava muito abaixo do esperado.

Filha, você deve estar se perguntando o motivo de eu estar falando de uma simples corrida no parque. Bem, após completar a corrida, fui até o bebedouro; eu bufava de cansaço e ouvia a última música do álbum *Head Hunters*, ou seja, estava distraído. Porém, percebi que alguém olhava para mim de forma acintosa. Na hora, eu pensei que fosse um cara me paquerando, porém aquele olhar não era de sedução. Era um olhar de estudo, de reconhecimento.

Continuei a minha caminhada até o bebedouro. Depois de beber água, me virei e procurei pelo homem que havia me encarado. Ele se alongava e continuava olhando para mim, e não disfarçava, mesmo após eu ter tirado os óculos escuros. Ele tinha cerca de 1,80 de altura, moreno, cabelo preto e curto. Não tinha nenhuma tatuagem, brinco ou outra coisa que marcasse o seu corpo. Ele vestia roupa de corrida normal e não aparentava ter uma arma na cintura.

Caminhei em sua direção, mas sem o olhar fixamente. Estava nervoso. Melhor dizendo, estava com medo. Fiquei acuado, não sabia se ele era policial, mas sabia que já o tinha visto em algum lugar. Eu era bom fisionomista, apesar de ser péssimo para lembrar de onde eu conhecia as pessoas. A minha vontade era de falar com ele, mas na hora travei e passei reto, porém com uma distância de menos de trinta centímetros. Ele não falou nada e continuei a minha caminhada em direção ao meu carro.

Quando cheguei à área do estacionamento, olhei para trás, não entraria no meu carro se ele continuasse olhando. Ele já havia começado a correr, e de onde ele estava não conseguia ver o meu carro.

Voltei para casa ainda bastante assustado. Meu primeiro pensamento era que ele fosse policial, mas raciocinei direito, pois um policial não faria o disfarce dele cair por terra dessa forma, então pensei que pudesse ser um investigador particular, contratado pela Clara. Será que ela tinha descoberto quem eu era? Porém, novamente pensei que ele fosse um detetive particular, entregar-se assim também comprometeria o trabalho dele.

Quem era aquela pessoa? Será que no meu último ato eu teria que abrir mão da minha vingança? Será que devia comprar uma arma? Eu estava puto comigo mesmo! Como uma simples encarada podia criar todo esse pânico em mim? Decidi por hora não voltar mais ao Parque da Cidade e prestar mais atenção para ver se alguém me seguia de carro ou a pé.

Fui para a Desery para ajudar os seus avós na administração da loja. Sorte que lá havia um espaço onde poderia trocar de roupa e tomar banho se quisesse. Como sempre, parar o carro na 107 Sul é muito complicado, tive que estacionar dentro da quadra residencial. Quando cheguei à loja, todos os sete funcionários estavam lá, pois havia convocado uma reunião extraordinária com eles. Anunciei que a loja estava crescendo muito, e devido a isso o trabalho estava ficando insano. Por outro lado, os lucros subiram muito e, como demonstração de toda nossa gratidão, no final daquele mês todos os funcionários ganhariam um extra de dois mil reais. Pode parecer pouco, filha, mas qualquer adicional ao salário sempre é bem-vindo.

Avisei também que esses bônus se tornariam uma constante, e eu preparava um documento para explicar o procedimento a todos. Além disso, anunciei que pensávamos em abrir uma filial da loja na Asa Norte e, com isso, íamos precisar muito mais da ajuda de todos eles.

A tarde transcorreu tranquilamente, apesar de eu ter dado várias voltas na comercial e ido várias vezes até o carro. Queria ver se encontrava aquele cara novamente, mas não consegui vê-lo.

À noite, fomos jantar no Villa Tevere. Você lembra o quanto gostava de comer lá, filha?

Fiz a reserva e, quando chegamos, você e seus avós foram para a mesa, que ficava do lado de fora, que era muito mais agradável. Acabei não indo, pois encontrei Vagner Maynard, o meu antigo psicólogo. Ele já devia ter cerca de 55 anos, mas tinha o corpo em forma, pele branca, olhos verdes e, apesar de estar completamente tomado por cabelos brancos, dava para ver que ele teve cabelos claros. Ele me cumprimentou e pediu para a mulher que o acompanhava esperá-lo no carro, pois ele precisava falar comigo.

A mulher, melhor dizendo, a menina que o acompanhava, não parecia ser filha dele e muito menos parente, ou seja, o meu antigo analista tinha um pé na pedofilia, e talvez pagasse por isso.

— Sempre nos encontramos em restaurantes, não há nada melhor que comer bem... — Antes de conseguir responder, ele continuou. — Da última vez que nos encontramos, não pudemos conversar, e sabia que tudo era recente para você. Fiquei preocupado em saber como estava.

— Estou bem, doutor. Ainda superando a minha perda. O luto dói, mas o tempo ajuda a dor a passar.

— Apareça no meu consultório amanhã, às nove da manhã, e vamos conversar melhor.

— Obrigado, doutor, mas de verdade estou bem.

Maynard continuava falando mansamente e com um grande sorriso no rosto, até o momento em que ganhou por completo a minha atenção.

— Podemos falar de outros assuntos, sem ser o assassinato da sua esposa. Por exemplo, várias pessoas da sua antiga turma sumiram ou morreram. Acredito que você esteja num misto de tristeza e alegria. Tristeza porque conheço a sua índole, e você não ficaria feliz com a morte de ninguém; mas a alegria de saber que essas pessoas pagaram pelos pecados que cometeram contra você. Pelo que me lembro, das pessoas que você tinha mais pavor, só a Clara está viva, certo? Então, o que você acha de nos encontrarmos amanhã de manhã, tenho certeza de que nossa conversa será muito boa e você já vai saber trabalhar as suas emoções da forma correta se a Clara também decidir desaparecer do mapa.

Não tive tempo de reagir, ele viu a minha cara de medo. O doutor Vagner virou-se e foi embora. Devia estar branco devido ao tamanho susto que tomei. Pela segunda vez no dia, eu estava sendo ameaçado. O primeiro só com um olhar, e o segundo com as palavras.

Estava claro que Vagner sabia que eu era o assassino. Será que ele tinha contratado o cara do parque, ou será que já havia me entregado à polícia?

O jantar foi horrível, não estava com paciência para nada, era perceptível para todos à mesa. Não consegui dormir, foram os piores momentos da minha vida desde que comecei a vingança. Estava com muito medo, pior, estava em pânico. Contudo, eu tinha que ir ao consultório. Tinha que saber o que estava acontecendo. Somado à sensação de que fora descoberto como assassino, eu ainda estava paranoico por estar sendo seguido pelo sujeito que me encarava no parque.

Às nove horas em ponto, estava em frente ao consultório de Maynard, que abriu a porta antes de eu bater.

— Bom dia, Harold. — Ele se afastou da porta e pediu para eu entrar. — Sabe o que mais gosto em você? A sua pontualidade, esperei dar nove horas em ponto para abrir a porta. Sei que você deve ter chegado uns dois minutos antes, mas só bateria na porta no horário correto.

Sorri para ele, mas foi um sorriso amarelo, que demonstrava que não estava disposto a conversas amigáveis.

— Você está abatido. Não dormiu bem esta noite?

— Dormi bem, sim. Tive uma excelente noite de sono. Como falei com o senhor, estou bem. Não preciso de acompanhamento no momento. Só vim hoje para que o senhor saiba que realmente estou bem.

— Fico feliz que você esteja dormindo bem. Não há nada melhor que colocar a cabeça no travesseiro e dormir o sono dos justos. Vi no seu Facebook que você ficou amigo dos antigos colegas de curso. Confesso que me assustei no começo, porém depois entendi tudo.

— O passado é passado, doutor, e guardar mágoa nunca é bom. O senhor me ajudou muito. Hoje sou uma pessoa feliz e sem ligação alguma com o passado.

— Bonitas palavras, Harold, mas vamos nos adiantar, tenho um paciente às 9h30, não temos tempo para esse tipo de conversa.

— Ué, não estou entendendo, a consulta agora é de 30 minutos em vez de 45?

A expressão de Vagner não foi nada amistosa. Pela primeira vez, o vi nervoso. O olhar dele era penetrante; ele não piscava e já tinha fechado os dois punhos. Até pensei que pudesse vir me dar um soco.

— Harold, além de você ser pontual, você é uma pessoa inteligente. Você veio aqui hoje, pois sabe que descobri que está matando os seus antigos desafetos. Acredito que você está nervoso e talvez com medo. Então, para relaxar, eu não trabalho para a polícia, essa conversa não está sendo gravada e não contei para ninguém sobre o que descobri.

Depois de ouvir tudo, me mantive calado por um tempo e estranhamente mais relaxado, mas não podia acreditar tão fácil que ele não estava com escuta ou trabalhando com a polícia.

— Então foi o senhor que colocou alguém me seguindo?

Como descobriu que eu estaria no Villa Tevere ontem?

— O restaurante foi coincidência mesmo, apesar de estar decidido a procurá-lo esta semana. Pois só no final de semana consegui comprovar que você era o assassino. Mas pode ter certeza de que eu não coloquei ninguém na sua cola, como eu disse, não contei a seu respeito para ninguém.

— Como o senhor comprovou que eu era assassino? Estou curioso.

— Primeiro, o meu trabalho foi fácil, pois tenho o seu histórico e sabia muito bem quem te fez mal. Reli todo o seu prontuário, e até agora quem morreu foram apenas as pessoas que você mais odiava. Depois fui rever todas as reportagens sobre as mortes e acabei descobrindo a teoria maluca da Clara. Tenho certeza de que na hora que você leu a entrevista dela, ficou preocupado, mas depois ficou tranquilo, pois ela acrescentou nomes que não estavam no seu radar, e o seu *modus operandi* é matar ou desaparecer com a pessoa, então você não deu um susto nos outros. A única outra que morreu foi a Mimi, mas você é inteligente o suficiente em matar em local sem testemunhas e sem correr risco de morrer. Além disso, você estava em Nova York quando o André desapareceu.

— Ok, você sabia que eu não gostava dessas pessoas, e confirmo para qualquer um que quando era jovem não gostava delas. Agora achar que por isso matei alguém é um pouco demais, não? Agora me deixe ir, que tenho coisas mais importantes para fazer.

Levantei-me e fui em direção à porta. Preferi nem dar explicações sobre a data que eu tinha viajado. Quando estava quase chegando a ela, Maynard voltou a falar.

— A Lúcia viajaria para Paris no domingo. Ontem eu liguei para o hotel dela e estranhamente ela não se hospedou lá. Hoje começava o curso de culinária dela e, mais uma vez, ela não apareceu. E se você quiser esperar um pouco, podemos ligar para a companhia aérea para saber se ela embarcou. Aposto a minha vida que ela não chegou nem perto do aeroporto, e depois de ligar para o aeroporto, podemos ligar para a casa dela ou para a casa dos pais dela.

Virei-me para encará-lo, e Vagner estava com um sorriso no rosto, como uma criança fica ao ganhar um doce. Ele fez um gesto para que eu me sentasse. Pensei um pouco e voltei a me sentar, ele acabara de me ameaçar novamente, e eu sabia que se ele fizesse o que tinha sugerido, eu poderia ser preso.

— Que bom que ganhei sua atenção. Eu, no seu lugar, também iria embora, ser descoberto sempre é ruim, além de você não ter certeza se a pessoa vai te entregar ou não. Então, vou falar tudo de uma vez, para que você entenda.

O doutor ficou atrás da sua suntuosa mesa e pegou o copo de água. O escritório dele era estranho, nunca havia percebido como o percebia agora. Ele era todo escuro, com duas poltronas, um divã, a mesa dele e um pequeno armário onde ele guardava alguns livros e testes. Havia um frigobar ao lado do armário e uma porta de banheiro, que nunca vi aberta. Não havia quadros, nem enfeites. Sobre a mesa repousavam só um telefone e um calendário. Faltava vida naquele consultório.

— Você me surpreendeu, Harold, nunca achei que fosse se tornar um assassino, e dos bons. Você não tinha nenhum perfil para isso, e pode acreditar, sei reconhecer assassinos. Você tinha mais tendência ao suicídio. Então, que bom que prefira matar. Sei que não irá me falar hoje, mas fiquei curioso de saber como você matou as pessoas. Você foi muito inteligente em sumir com o André, pois se o corpo aparecesse era bem capaz de eles conseguirem te incriminar; nos Estados Unidos, eles realmente investigam mais os crimes. A morte da Patrícia eu achei genial, a menina tinha problemas com drogas e você desovou o corpo no lugar onde ela comprava drogas. Você é um gênio. O Lino eu tenho certeza de que você envenenou, não foi morte natural e, com certeza, você usou algum veneno de meia-vida curta. Já a Lúcia, estou muito curioso também. Com certeza você dormiu com ela e a seduziu para um lugar ermo e a matou. Você a enterrou ou a jogou em algum rio ou lago? Agora estou muito curioso de como você vai matar a Clara, sei que ela é quem você mais odeia. Se precisar de ajuda, posso dar algumas sugestões. Agora, uma coisa que não entendi direito, qual foi o motivo de você matar a sua esposa? Foi queima de arquivo ou foi apenas um crime passional?

Como ele podia saber tanto assim? Fiquei mais assustado ainda, porém comecei a rir. Depois de um tempo rindo, e perceber que ele me olhava bastante sério, falei:

— Desculpe pela risada, mas você tem a mente muito fértil. Além disso, sofri com a morte da minha esposa, não faça essas acusações levianas.

— Harold, eu já disse que não quero que você confesse nada hoje, pois também não o faria. Mas saliento que eu seria agredido se acusasse qualquer outro de ter matado a própria esposa. Falando dela, a morte de sua esposa é a que mais me preocupa. Não que você esteja sendo investigado, pois você, mais uma vez, se mostrou inteligente e fez o amante ser o culpado. A minha preocupação é que você matou uma pessoa inocente, presumindo que o crime foi passional. Quero lhe oferecer ajuda para que acerte os alvos específicos e não saia matando todo mundo por aí como um louco. Enfim, matar só quem de fato merece.

— Desculpe, doutor, mas acho que o senhor está vendo muito Dexter. Às vezes, de verdade, tenho desejo de matar um ladrão, um estuprador, mas existe um limite, e fico só na vontade.

— Realmente gosto muito de Dexter e acho que ele é um grande herói, não um anti-herói. Infelizmente o mundo não está preparado para pessoas como Dexter. Mas já ajudei algumas pessoas a controlar a raiva e matar apenas as pessoas más. Você não é o primeiro e nem será o último a quem vou ajudar e mostrar o caminho certo.

— Quer dizer que você está criando uma Liga da Justiça? Quem é você, o doutor Xavier?

— Meu Deus, Harold. Olhe o que você falou, misturou o universo da DC com a Marvel. Nunca mais fale tamanha asneira, senão todos os nerds do mundo vão querer matá-lo.

Maynard riu da própria piada, e apesar de ter entendido o que ele explicou eu não me importava com essa minha confusão.

— Digamos que eu sou o Coringa e vocês são parte da Liga da Injustiça.

— Vocês?

— Sim, vocês. Existem outras pessoas que auxilio e traço planos. Lembra-se daquela dona de loja que expulsou uma negra do estabelecimento dela no Lago Sul? Passe pela loja e tente descobrir se ela já fez operação para reconstituir o rosto. Semana passada, misteriosamente, sumiu o tio do picolé que vendia picolé e drogas em frente ao Sigma. Ninguém sentiu falta dele e ninguém vai descobrir onde ele está apodrecendo. É disso que estou falando, posso te mostrar os lugares onde pode despejar um corpo, e ele nunca será encontrado. Tenho certeza de que você também vai me ensinar muitas coisas. Porém, os justiceiros não conhecem uns aos outros. Só em uma ocasião tive que revelar a identidade de um justiceiro para outro. Você deve ter ouvido falar do Papai Noel Assassino. Ele foi meu paciente, e eu o ajudei a desenvolver a inteligência dele. Tudo ia muito bem, ele estava matando as pessoas certas, porém o cara era muito louco, começou a se desviar dos objetivos e a matar por matar, ele ficou descontrolado. Então, tive que pedir ajuda a outro justiceiro. Quando sair daqui, procure no jornal quando foi a última morte cometida pelo Papai Noel. Garanto que nunca mais ouvirá falar dele. A essa hora, tem muito concreto em cima do corpo dele.

Começava a acreditar no Vagner, mas sabia que ele tinha boa lábia, e o trabalho dele era convencer os outros com sua habilidade de oratória.

— Infelizmente o tempo acabou, terei que trabalhar. Espero que você tenha entendido tudo que falei, só quero te ajudar. Porém, se não quiser ajuda, pode ficar tranquilo que jamais falarei para a polícia sobre quem você é. Vá para casa e pense em tudo que conversamos. Tenho certeza de que você me procurará novamente. Porém, não tente vir me matar, se isso passar pela sua cabeça, sei me defender muito bem e sempre estarei um passo à frente.

Ele começou a escrever no caderninho que retirara da gaveta e ficou de cabeça baixa. Saí da sala e fui caminhando devagar para ir embora. Depois da conversa, tirei algumas conclusões: ele era louco, mas falava a verdade, ele não tinha me entregado à polícia; não podia confiar que ele mantivesse em sigilo a descoberta que fizera, ele deveria ter um soldado de confiança com quem compartilhava tudo; percebi também que eu deveria apagar o meu Facebook, pois se eu investigava meus antigos coleguinhas, alguém pode estar me monitorando também; por último, tinha certeza de que deveria matar Vagner Maynard.

Não sabia onde ele morava, ontem já o tinha procurado no Facebook, e ele não tinha perfil, e trabalhava no Brasil XXI, um complexo com cinco torres comerciais. Era impossível eu ficar esperando para saber qual era o carro dele e segui-lo.

Filha, eu não matei a sua mãe, só transcrevi todo o diálogo aqui para você ver o que a falta de cuidado faz com todo planejamento de uma vingança.

Segui direto para casa, pois precisava me concentrar e me recuperar da conversa. Precisava traçar um plano, e tinha que ser logo. Filha, devemos eliminar o problema assim que ele surge, não podemos deixá-lo crescer muito.

Tentava bolar algum plano, mas a minha cabeça não conseguia se concentrar. Sabia que não podia convidá-lo para um lugar isolado, ele jamais iria. Se eu o convidasse para um lugar movimentado, poderia ser que ele tivesse auxílio de algum de seus soldados, e não podia ser no consultório, pois seria impossível cometer algum crime lá.

Não conhecia nada sobre ele. As duas vezes em que o vi ele estava acompanhado. Da primeira vez, de um homem que não consigo me lembrar da fisionomia; a segunda vez, ele estava com uma puta, talvez a achasse na internet. Mas Maynard tinha o perfil de quem era cuidadoso, ou seja, ela sabia menos da vida dele que eu, ou então ela poderia ser uma fixa e acabar falando com ele que eu a tinha procurado. Não podia ir ao Villa Tevere, pois seria muito suspeito.

Decidi marcar um jantar com ele, pois eu poderia segui-lo. Liguei para o celular dele, mas ninguém atendeu. Ele devia estar com algum paciente. Será que dando dica de como matar alguém? Deixei recado pedindo para ele retornar a ligação.

Passei o resto da manhã e o início da tarde deitado, pensando, meditando e me concentrando. Não almocei esse dia. Era para eu ir ao restaurante ver a obra, mas pedi para o meu pai resolver os problemas, alegando que eu estava com muita dor de cabeça e não conseguia sair da cama. A única coisa que fiz foi dar um fim no meu Facebook, porém criei outro, falso, para continuar monitorando a minha última presa.

Por volta das 13h30 o meu celular tocou. Era Maynard do outro lado da linha.

— Boa tarde, Harold, estou retornando a sua ligação. Em que posso te ajudar?

— Boa tarde. Liguei para saber se você gostaria de jantar hoje à noite no Rubaiyat?

— Infelizmente não posso me encontrar com os meus pacientes fora do consultório. Se você quiser e puder, amanhã eu tenho uma vaga às 10h15. Podemos marcar?

— Sim. Até amanhã, doutor.

Ele agendou e depois desejou-me uma boa-tarde. Era de se esperar que ele fosse frio e seco ao telefone. Ele sabia o que estava fazendo.

Agora eu teria algumas horas para desenvolver algum plano para a consulta.

Depois de muito pensar, eu teria que recorrer outra vez ao envenenamento. Não era o tipo de morte que eu gostava, mas era a única que poderia dar certo. Desta vez, o envenenamento deveria acontecer por contato da pele. Depois de muito estudar, decidi como fazer, e novamente eu tinha a composição do veneno na obra. Usaria estricnina.

Resolvi me mexer e em menos de uma hora já estava em casa com tudo o que precisava. Agora era só esperar o dia seguinte, e sabia que seria mais uma noite sem conseguir dormir.

Fui para o consultório ouvindo *Hidden Shadows* para conseguir relaxar, mas nem prestei atenção à música. Estava muito nervoso.

Às 10h15, ele abriu a porta e eu o estava esperando. Antes que eu pudesse cumprimentá-lo, ele já foi logo avisando:

— Antes de qualquer coisa, me desculpe, mas preciso te revistar. — Tentei protestar, mas ele não deixou. — Essa é a regra, se não concorda pode ir embora.

Levantei o braço e realmente ele me revistou, pediu para eu tirar a camisa para ver se havia alguma escuta, pediu para esvaziar os bolsos. Ele mexeu em toda a minha carteira, desligou o celular, pegou tudo e foi andando na direção do divã, que também servia para esconder um cofre que ficava atrás dele, mas só arrastando o móvel era possível vê-lo. Depois de tudo guardado, começamos a conversar.

— Imaginava que você ia me procurar, mas não imaginei que seria tão rápido. O que aconteceu?

— Para falar a verdade, estou mais curioso com toda a situação. Não sei se preciso de ajuda, até o momento fiz tudo certo.

— Não se iluda. Não é porque você não foi pego que fez tudo certo. Só é preciso uma pessoa cismar com você para ser capaz de descobrir tudo. Lembre-se de que você está sozinho, mas do outro lado há uma força de milhares de homens que podem ser usados para acabar com você. A prepotência, geralmente, é o pior inimigo de um assassino.

— Sei que estou longe de ser perfeito, mas me esforço para não errar, e quando falei que não precisava de ajuda era só para salientar que prefiro fazer o que estou fazendo sozinho, sem envolver outras pessoas, pois a jornada é minha.

— Harold, quero que você entenda que não estou aqui para ser o seu chefe, não estarei em campo com você, não vou falar o que está certo ou errado. Quero que você me veja como um conselheiro. Uma pessoa que vai te dar orientações práticas, o que fazer, quando fazer, como fazer, além de ser uma pessoa que vai te dar orientações psicológicas, para que você não entre em parafuso e para que tenha foco. Aliás, me esqueci de falar, todos os nossos encontros deverão ser pagos, e eu emitirei a nota da consulta. Lembre-se de que você vem aqui para se consultar e nunca, jamais, você vai me convidar para almoçar ou jantar ou fazer qualquer outra coisa fora do consultório. Se nos encontrarmos na rua, podemos nos cumprimentar, trocar uma ou duas palavras e seguir a nossa vida. Sei que você mora na Asa Norte e tem uma loja de sobremesas na Asa Sul, mas sei isso apenas porque você é meu paciente. A partir de hoje, não quero saber de mais nenhum detalhe de como te achar, assim como você também não saberá onde moro e o que eu faço fora daqui. Está entendendo?

— Sim, também prefiro que seja assim.

— Se algum dia você for preso, jamais deve falar de mim. E se falar, eu negarei tudo, e você nunca conseguirá provar nada contra mim. Por outro lado, você está assegurado comigo, ninguém saberá da sua existência. Nenhum dos outros justiceiros saberá quem é você e que faz o mesmo que eles. Ontem modifiquei algumas das minhas anotações sobre você, para se algum dia eu for preso, a polícia não conseguir chegar até você. Pronto, as primeiras informações você já tem, agora está na hora de responder as minhas perguntas de ontem. Quero conhecer o seu *modus operandi*, te conhecer melhor, para conseguir traçar o seu perfil e ajudá-lo.

Contei toda a história, citei os detalhes. Ele me deu algumas dicas, coisas bobas, ele era o perfil de pessoa que sempre acha que é mais inteligente que os outros, então nada nunca será o certo se for feito por outra pessoa. Ele apontou alguns erros, que eu também estava ciente de que os havia cometido. Enfim, como consultor de assassinatos ele não tinha serventia.

Quase no fim da consulta, perguntei se poderia ir ao banheiro. Estranhamente ele não ficou confortável com o meu pedido, mas me deixou usar.

Ao entrar no banheiro, fiz um estudo detalhado se havia alguma câmera, o que não achei, mas fiquei temeroso que existisse alguma. Eu poderia abrir a porta e tomar um tiro no rosto. A seringa com o veneno estava guardada dentro do tênis. Usei o banheiro normalmente e logo saí. Vagner estava sentado em sua cadeira, mexendo no celular e com as minhas coisas em cima da mesa dele. Ele me tratou de modo corriqueiro. Fiz o pagamento e marcamos de nos encontrar na próxima segunda, às 9 horas. Nessa sessão, eu falaria dos meus planos para acabar com a Clara, e ele me ajudaria no que fosse necessário, ou seja, em nada.

Quando saí do consultório, um menino de cerca de dezesseis anos esperava para ser consultado, ele me fez lembrar da minha juventude.

Resolvi ficar esperando o rapaz descer, pois queria conversar com ele. Eu iria tentar avisá-lo de que o doutor Maynard era um pedófilo. Filha, eu estava perdido, não sabia o que fazer, mas tinha que matar aquele sujeito ou colocá-lo na cadeia.

Fiquei do lado de fora do prédio, olhando para o parque Pithon Farias, que, apesar de hoje ter outro nome, para mim sempre será Pithon Farias. Estava vendo as crianças se divertindo no foguetinho. Como fui feliz naquele brinquedo. Lembro até hoje quando meus pais me levavam lá e eu tinha medo de passar pela ponte que balançava, mas depois subia correndo o restante do foguete. O momento nostalgia fez com que os minutos corressem. Quando dei por mim, já eram 11h45; em alguns minutos o menino iria descer. Fiquei olhando para a portaria, mas ainda do lado de fora. Os empregados dos escritórios do prédio já começavam a descer para o almoço. Havia um grupinho de cinco homens fazendo algazarra em frente à portaria. Eles falavam alto e riam mais alto ainda. Pareciam de bem com a vida.

Nesse momento, o paciente do Maynard desceu e, para a minha surpresa, o terapeuta estava junto com ele. Ambos seguiam pelo lado contrário, no sentido Setor Comercial Sul. Deixei que fossem. Então, rapidamente, me agachei e tirei a seringa do tênis e coloquei no bolso. Olhei para todos os lados para ver se alguém me seguia e fui caminhando em direção ao doutor.

Eles desceram até o Pátio Brasil, porém o paciente subiu a escada rolante, provavelmente iria almoçar no *shopping*. Vagner continuou andando e foi em direção à saída para a W3. Quando saiu do *shopping*, ele foi para o ponto de ônibus. Era estranho ver um doutor usando ônibus em Brasília. Não sei se ele estava sem carro, se ele era esquisito mesmo, ou então se era cuidadoso e foi andar de ônibus para não deixar provas. Porém, seria ali que eu teria de agir. Antes de chegar ao ponto, ele comprou um refrigerante. Não tinha me visto. Ficou na parte de trás do ponto, para usar o celular, e apoiou a lata no gramado. Ele era o único atrás do ponto, e eu estava encostado à lateral, de modo que ele não conseguia me ver com nitidez, no entanto, se ele se esforçasse um pouco, poderia me ver ali. Na frente da parada de ônibus, uma turma de oito estudantes de primeiro grau conversava entre si e não dava bola para nós dois ali atrás. Não tinha nenhum outro adulto que pudesse ver onde a lata estava.

Vagner falava ao telefone e, às vezes, bebia o refrigerante. Quando parava de beber, ele a colocava no gramado e ficava de costas para a lata. Então, numa dessas vaciladas, eu me aproximei da lata, já com a seringa em mãos, e joguei o veneno dentro dela. A ação demorou menos de cinco segundos. Depois de aplicar o veneno no líquido, eu me virei, guardei a seringa e baixei a cabeça para ir embora. Voltei para a entrada do Pátio Brasil e olhei para onde o psicólogo estava. Ninguém da parada olhava para mim, não sei se alguém viu, mas não percebi ninguém me observando, nem de perto e nem de longe.

Vi Maynard desligando o celular e dando um grande gole no refrigerante. Porém, após beber, ele fez cara de nojo e foi jogar a latinha fora. Vagner não sabia, mas dali a meia hora ele estaria morto. Vi-o entrando no ônibus e fui andando até a 302 sul para comprar uma nova faca para mim. Desta vez, escolhi uma laranja para a minha coleção.

Fui para casa, para ver se conseguiria dormir um pouco, e ficaria aguardando as notícias. Dormi a tarde toda, sentia-me muito vagabundo. A semana já estava na metade e eu não tinha trabalhado um único dia no restaurante.

Vi e li todos os jornais, mas não falavam nada sobre nenhuma morte. Acompanhei todos os noticiários, procurei nas redes sociais até segunda de manhã e nenhuma notícia havia sido dada. Tinha pensado em jogar a faca que eu tinha comprado fora.

Preparava-me para a consulta quando o telefone tocou. Uma mulher do outro lado da linha se apresentou como secretária do Vagner.

— Hoje você teria uma consulta com ele às 9 horas. Mas o doutor Vagner Maynard infelizmente faleceu no último dia 20.

— Meu Deus! O que aconteceu? Não estou acreditando nisso.

— Ele tomava remédio controlado e, aparentemente, exagerou na dose. Como ele mora sozinho, o corpo só foi encontrado no dia 21 à tarde, por um amigo que estava preocupado com o sumiço dele. O senhor era paciente antigo?

— Não estou acreditando nisso. Não pode ser. Sou paciente dele há quase quinze anos. Eu o considerava o meu mentor. A única pessoa que me entendia.

Comecei a chorar de verdade, não sei o motivo, mas estava me tornando bom na arte da mentira. A secretária me passou todas as informações da missa de sétimo dia, já que o velório e o enterro já tinham acontecido.

Ao desligar o telefone, sequei as lágrimas e comecei a sorrir. Quem diria que o paladino da justiça era usuário de pó e gostava de misturar estricnina junto à cocaína. A droga acabou sendo o meu grande álibi.

Agora o caminho estava livre para o meu restaurante e para a morte lenta e dolorosa de Clara.

CAPÍTULO 8
Eu fiz isso pelo seu amor

Filha, nos últimos meses a minha vida tinha mudado demais. Estava em busca da minha plena felicidade, porém sem esposa. E dessa forma virei pai viúvo, o que é uma barra. Estava na reta final da inauguração do meu restaurante e da expansão da nossa loja, porém, o que ainda me consumia era acabar com quem tentou destruir a minha vida. A hora de Clara estava chegando.

Enquanto a notícia do desaparecimento da Lúcia não vinha à tona, comecei a formular o meu ato final, a minha grande vingança. Já tinha algo em mente, mas não me sentia confortável com o plano, pois agora eu teria que tomar mais cuidado. Já tinha sido descoberto uma vez, não queria que outro enxerido tentasse atrapalhar o meu caminho. O que eu sabia que deveria começar a acontecer é uma aproximação de Clara, o que eu já estava pondo em prática.

Tínhamos um grupo no WhatsApp da nossa antiga turma, infelizmente algumas pessoas estavam ausentes. Para melhorar a minha imagem pública e não levantar suspeitas, sugeri no grupo que marcássemos mais uma confraternização. Usei como pretexto a inauguração do restaurante do Pierre Moreno.

Moreno era parecido comigo, um ninguém na época do curso. Eu mesmo não sabia quem ele era, apesar de termos estudado algumas disciplinas juntos, e, assim como eu, ele teve sucesso na culinária. Talvez os calados e tímidos tenham mais sucesso cozinhando, ou talvez só as pessoas boas tenham esse dom. O restaurante prometia boas surpresas.

Pierre ficou todo satisfeito com a ideia de fazer uma confraternização lá, então fez uma pré-inaugurarão apenas para a nossa turma e outros poucos amigos de culinária de outros ciclos. No dia marcado, todos nós estávamos lá. Experimentamos uma excelente gastronomia *fusion*. Torcia para que desse certo, mas na época achava que Brasília não estava preparada para um restaurante interessado em misturar ingredientes regionais a pratos internacionais. Sou um entusiasta da comida *fusion*, e de preferência quando é regionalizada. Sempre fui a favor que tudo fosse global, mas usar aquele ingrediente que só tem em uma determinada região é o que faz a gastronomia viver. Vale lembrar que *fusion* não é necessariamente misturar um ingrediente da sua região a um prato oriental, por exemplo.

O meu pedido foi medalhões de filé ao molho de jabuticaba, que estava muito bom, e para acompanhar bebi uma garrafa de Chanson Le Bourgogne Pinot Noir 2009. Minha vontade era de beber a garrafa sozinho, mas tive que dividir. Que vinho excelente!

Como já estava começando a ficar costumeiro, Clara e eu sentamos um ao lado do outro. Falamos sobre o restaurante e a comida. Logicamente ela destilou todo o seu veneno. Reclamou do prato dela, dizendo que estava frio e que a técnica não estava boa. Reclamou dos garçons, dizendo que não estavam preparados. Segundo ela, o restaurante não duraria mais que um ano. Eu dava corda para conseguir me enturmar, mas a vontade era pegar o garfo e fincar num olho dela e depois quebrar a garrafa de vinho na mesa e acertar com violência em sua garganta.

Além de soltar seu veneno, ela voltou ao assunto do "azar" de nossa antiga turma. Eu já imaginava o que ela ia falar e comecei a me incomodar. Clara estava preocupada com Lúcia, pois já havia cerca de vinte dias que ela viajara para Paris e não deu mais nenhuma notícia. Tentei aliviar um pouco, expliquei que como ela tinha acabado de perder o marido era capaz de estar de luto ainda e, por isso, poderia ter se afastado de propósito da sua vida no Brasil. Afirmei que devíamos deixá-la encontrar o próprio tempo, porém, se em mais vinte dias ela não desse notícias, íamos procurá-la.

Fiquei em silêncio e pensei: *Em vinte dias vocês vão se encontrar.*

Se ela se conformou eu não sei, mas pelo menos não tocou mais no assunto comigo e com os outros. Questionei-me se não deveria ter eliminado Clara em primeiro lugar. Como as coisas da vida são engraçadas, logo a pessoa mais estúpida da sala era a única que percebia que algo estranho estava acontecendo.

Ela começou a ficar mais animadinha por conta das taças de vinho e, dessa forma, logo se transformou no centro das atenções, algo que ela sempre desejou.

Saímos todos do encontro por volta das 23 horas. O restaurante estava preparado para abrir as portas oficialmente. Ficamos conversando na porta do restaurante com outros colegas até todos irem embora. Naquele dia, cheguei em casa depois de uma da manhã, satisfeito e com o plano na cabeça.

Nas duas semanas que antecederam a inauguração do restaurante, minha filha, aproximei-me bastante de Clara. Falávamos com frequência pelo WhatsApp, nada de comprometedor, mas quase todos os dias ia à loja dela de alimentos naturais, que ficava na 307 Norte. O improvável acontecia, praticamente erámos amigos, só tínhamos entendimentos diferentes de amizade.

Estava tão íntimo que conheci a filha dela, que era da sua idade e também já sabia dos problemas que ela tinha no casamento. Até hoje eu não entendo a necessidade de vocês, mulheres, se abrirem tão facilmente.

Ela e a cunhada tinham um spa numa quadra antes de onde eu abriria o meu restaurante. Fui lá uma vez, nada bom o lugar. Não estou imitando a Clara, mas o lugar não era bom mesmo. Era caro, sem infraestrutura e sem bons profissionais. Mas vou parar de historinha e contar o ato final.

Por causa de alguns atrasos, a inauguração do restaurante só pôde acontecer no dia 04 de maio de 2013, que caía num sábado. Apesar de Clara dizer que o dia não era bom para uma inauguração, segundo estudos de numerologia, ela se ofereceu para me ajudar. Em todos os dias da última semana, ela passava lá no restaurante após fechar a loja. O marido parecia não se importar com a ausência dela. Ele trabalhava na Câmara dos Deputados, devia ter algo mais complicado para tratar por lá. Coitado do cara, está 24 horas por dia cercado de pessoas de má índole.

No dia 4, ela se propôs a me ajudar desde as 8 da manhã. Sabe o que é pior, filha? Ela e minha mãe estavam se dando bem. Sua avó até jogou indireta para eu me relacionar com ela. Veja como a sua avó tem uma alma boa. Às 16 horas, saímos do restaurante para podermos descansar um pouco e nos arrumarmos. Marcamos de voltar para o restaurante às 18 horas, pois a inauguração estava marcada para as 19h30. A equipe da cozinha já estava preparada desde as 17 horas, a minha *sous chef*, Marina Royanne, também já estaria disponível uma hora antes de eu chegar.

Quando saímos, Clara disse que estava sozinha em casa. A família havia viajado para visitar a sogra que morava em Paracatu e, como ela mesma disse, "não gosto de interior, sou mulher de cidade grande", por isso ficou. Mas acho que ela tinha outras intenções, na verdade.

Ela havia estacionando em frente ao restaurante. Pedi que ela dirigisse até o final da Asa Norte, no *deck* que havia perto da Ponte do Bragueto, pois queria levá-la a um lugar especial; deixar o carro dela lá era melhor para depois não perdermos tempo entrando na quadra comercial. Disse que eu sempre ia ao local onde a levaria para recarregar as energias, era como se fosse o meu retiro espiritual. Ela não pestanejou e me obedeceu. Guiamos até o *deck*. Depois de estacionar o carro, ela entrou no meu e fomos conversando animados sobre o dia, aliás, sobre a excelente semana que tivemos juntos. Uma coisa eu nunca entendi, minha filha, como as pessoas más não têm tanta maldade? Praticamente convenci todos os meus antigos desafetos a irem comigo para onde eu quisesse levá-los. Talvez eu fosse bem persuasivo.

Dirigi até a Polícia Federal, após o Posto Colorado, no caminho para Paranoá. Local esse que sempre foi isolado, apesar da especulação imobiliária já ter atingido aquela região. Ela me perguntou por que estávamos naquele caminho. Disse que não conhecia nada daquela região.

— Vou te levar no lugar onde eu me descobri como *chef* de cozinha. Há quinze anos, eu tinha uma namorada que morava numa dessas chácaras que ficam aqui para a frente e, como erámos jovens, estacionei o carro nesses eucaliptos para podermos namorar. Depois de ficarmos um tempo juntos, estávamos com muita fome e eu preparei algo para comermos. Lógico que tinha alguns alimentos no carro, mas a questão é que a refeição ficou muito boa. Foi a primeira vez que elogiaram minha comida. Então, desde aquela época, sempre venho aqui quando estou tenso com algo relacionado à cozinha.

Durante todo o trajeto, ouvimos *Love Is Stronger Than Pride*. Havia programado para que a música ficasse repetindo.

A história que contei a ela não existiu, minha filha. Estou percebendo que tinha outros dons, não era só na cozinha que eu mandava muito bem. Eu era um excelente assassino e contador de histórias.

Já tinha ido ao local na sexta e marcado no GPS. Entramos pelos eucaliptos e não havia ninguém por perto. Começava a escurecer, parecia um cenário de *Sexta-Feira 13*, apesar de não haver eucaliptos no filme, mas um lago próximo.

Descemos do carro, e ela não parava de falar. Achou o local lindo, tinha entendido o motivo de eu querer ir para lá e blá-blá-blá. Demos quinze passos adentrando a floresta quando parei, a interrompi e comecei a falar.

— Clara, eu gostaria de te falar algo. Na verdade, eu não te trouxe aqui para te mostrar o meu lugar mágico, e sim para você tornar esse lugar mágico para mim.

Filha, foi inacreditável! Ela fez uma cara de emocionada, os olhos até chegaram a encher de lágrimas. Ela estava achando que ela era propagadora de bons fluidos.

Peguei nas mãos dela e continuei falando:

— Esse lugar se tornará sagrado, pois é aqui que você irá morrer...

Clara não teve tempo para processar as minhas palavras após o meu discurso, pois dei-lhe um soco forte no estômago e, quando o corpo dela arqueou, dei-lhe uma joelhada fortíssima em seu rosto. Assim que ela caiu no chão, chutei-lhe a cara com força. Não lembro quantos foram os chutes, mas foi o suficiente para fazê-la desmaiar. Na verdade, acabei me exaltando, não era para dar joelhada nem chutes, pois isso me sujou todo de sangue. Mas depois eu daria conta desse problema. Voltei ao carro e peguei o cutelo de cerâmica branco que tinha comprado só para essa ação. Na verdade, eu tinha importado, e foi muito caro.

Ela estava tentando se levantar, mas não deixei e a empurrei com o pé.

— Antes de te matar, eu queria falar algumas palavras. Você quase me desmascarou. Você foi a adversária mais difícil. — Parei e ri um pouco. — Veja a diferença entre nós... Em seu leito de morte, eu ainda tento te animar e te dar notícias boas. Você jamais faria isso. É isso que nos diferencia. Eu sou uma pessoa boa, e você não.

— O que você está falando, seu louco de merda?! — Clara gritou. Não achava que ela tinha forças para gritar, mas a mulher não parava de me surpreender.

— Não é lá muito adequado você gritar com alguém que está com um cutelo e mirando o seu pescoço. Mas estou falando de todo o mal que você fez para mim e para todas as outras pessoas. Você é repugnante, aproveitadora, puta, sem escrúpulos, sem caráter, não vê problemas em pisar em todos para se satisfazer. Você acha que esqueci tudo que você fez para mim quando estudávamos juntos? Uma época da minha vida, eu pensei em me matar, por causa de coisas que você falava para mim e de mim.

— Você deveria ter se matado, teria feito um bem a todos. Principalmente para os seus pais, eles devem te odiar, seu mer...

Não a deixei terminar a frase e fui com o cutelo direto na sua mão, que consegui desmembrar do punho. Ela começou a gritar, e então pisei em sua boca. Ela se mexia muito, e quase caí por duas vezes.

Após ela se calar, e com o olhar já vazio, eu me abaixei e comecei a cantarolar as melodias de *He Who Lives in Fear* perto do rosto de Clara. Àquela hora, ela já estava morta, só faltava a alma se esvair do corpo.

Filha, ainda fui educado e a avisei que seria naquele momento que eu iria separar a cabeça do corpo dela. Ela só fechou os olhos e começou a chorar, porém aliviei o choro dela e, dez segundos depois, comecei o processo de desmembramento.

Depois de algum esforço e muito sangue jorrado, tinha finalizado a minha tarefa de tornar a Terra um lugar melhor. Se soubessem o que eu tinha feito, talvez até me santificassem.

Depois de tanta satisfação, voltei ao porta-malas do carro e peguei os galões de gasolina que eu tinha levado e a pá. Embrulhei a cabeça no vestido dela e caminhei por cerca de trezentos metros em zigue-zague para enterrar a cabeça na cova que eu tinha aberto no dia anterior. Depois de enterrar a cabeça, refiz todo o caminho sem deixar rastro de pegada no terreno, pelo menos rastros aparentes.

Tirei todos os documentos, anéis, cordão, qualquer coisa que a pudesse identificar e joguei gasolina no corpo dela, além de fazer uma trilha na terra para acender o fogo a uma distância confortável. Deixei um dos galões só para o corpo. Não sabia a quantidade necessária para queimar uma pessoa, e consegui, um dia antes, recolher alguns galhos que ajudariam a manter o fogo aceso. Para a minha sorte, não chovia há mais de três semanas. Acendi o meu último cigarro. Havia prometido que pararia de fumar e achei que aquela hora seria a ideal para fazer isso.

Coloquei fogo e me virei para ir embora. Houve uma pequena explosão quando o fogo chegou aos galões que ainda tinham um pouco de gasolina. Antes de entrar no carro, troquei de roupa, tirei a luva e fechei o saco. Em duas sacolas, eu separei os itens dela. O fogo já estava alto quando fui embora com o carro. Como já estava escurecendo, a imagem estava bem bonita, deu até vontade de tirar uma foto, mas não podia me exceder. Estava queimando uma pessoa, que logo seria achada num lugar ermo, mas próximo à Polícia Federal e com casas a alguns quilômetros de distância. Ninguém passava pela estrada, mas torci que logo alguém andasse de carro por ali, para apagar as marcas dos meus pneus, pois a estrada era de terra.

Fui embora pelo Paranoá. Quando cheguei a Itapoã, passei por uma rua vazia e que tinha um contêiner. Parei rapidamente e despejei a bolsa de Clara e suas joias, ou bijuterias, não sei distinguir. Algumas quadras à frente, dispensei o restante das coisas dela. Lógico que estava de boné, casaco e olhando para baixo. Ninguém conseguiria me identificar.

Voltei até o carro dela. Algumas pessoas estavam no local, diferente da hora que ela tinha estacionado, porém ninguém próximo a ele. Abri o carro dela, deixei a porta entreaberta e joguei a chave lá dentro. Como o local era frequentando por muitos drogados, a minha esperança é que levassem o carro.

Recolhi algumas pedras que achei no local e fui embora com o meu carro. Andei poucos metros até parar perto do centro de tratamento de água da Caesb, parei o veículo ali, com o pisca alerta ligado e o farol apagado. Embora houvesse grande movimentação no local, a minha parada não era suspeita. Coloquei as pedras que recolhi e outras que achei dentro do saco com as minhas roupas. Fiz um buraco para que a água pudesse entrar e arremessei o saco de lixo no lago. Ali não era o melhor lugar para o descarte, mas, se algum dia acharem, era possível que todos os meus vestígios já tivessem sumido.

Voltei para casa, tomei banho e me aprontei correndo, pois já estava muito atrasado. Aquela noite era minha, e tinha desculpas fáceis de dar. Assim que cheguei ao restaurante, você e meus pais já estavam lá, e ao vê-la eu quase chorei. O dia era especial demais. A minha vingança, além de ser algo útil para mim, servia também para que você vivesse num mundo mais feliz.

CAPÍTULO 9
Amor é mais forte que orgulho

Filha, depois de me vingar dessas pessoas, fiquei com vontade de continuar nessa vida, pois no Brasil o crime compensa. Pensei em continuar com o projeto de vingança, talvez até virar um super-herói. A ideia era simples, matar todos que cometem crimes. Porém, reconsiderei a minha posição, pois você estava em uma fase ruim, sendo criada por seus avós devido à morte da sua mãe e ao enorme fluxo de serviço em meu restaurante. Não tenho nada contra a criação dos meus pais, mas eu te pus no mundo, era eu quem deveria criá-la, dar-lhe educação, amor e proteção. Por isso, resolvi abrir mão das minhas vinganças e ficar ao seu lado. Na verdade, nasci para ser pai e não justiceiro. Então, para finalizar, resolvi comprar a última faca de porcelana, uma rosa, para peixe. No total, fiquei com sete facas, e estão todas guardadas num painel de vidro que fica exposto no meio da sala. Ninguém pode usá-las.

Resolvi voltar ao psicólogo, tive que procurar um novo, já que o antigo não poderia mais me atender. Lógico que não contei tudo a ele, mas já me sinto bem melhor, mais leve. Porém, nem um pouco arrependido do que fiz para alcançar minha própria felicidade. O Yoga também está me ajudando a ter a cabeça mais tranquila.

No momento, estou bem, seis meses após a inauguração do restaurante. Acho até que encontrei uma pessoa que pode ser a sua nova mãe. Vocês estão se dando muito bem. Algumas vezes, até senti ciúmes de vocês duas, porém o que mais me importa é ser feliz novamente e ter uma família. Acredito que devemos nos casar logo, mas você é, e sempre será, a mulher da minha vida.

SEGREDOS

Minha querida filha, escrevo esse posfácio no dia 23 de abril de 2016, quase quatro anos após o início da minha vingança. Hoje você tem treze anos, ainda não sabe muito da vida, mas já começa a ver o mundo com outros olhos.

O nosso restaurante, Umami, virou um sucesso. Deu tão certo que os seus tios viraram meus sócios e os dois tocam o restaurante de Brasília e a nossa doçaria. Mudamos para Foz do Iguaçu com os seus avós e abrimos uma filial da doçaria e do restaurante Umami. Você, como filha de *chef* de cozinha, já deve saber o que significa Umami, mas se ainda não aprendeu:

> Palavra de origem nipônica que significa *delicioso* e *apetitoso*. É o nome do quinto sabor básico do paladar humano descoberto pelo pesquisador japonês Kikunae Ikeda, em 1908. O umami complementa os outros quatro sabores básicos: amargo, do-

ce, azedo e salgado. Apesar de ter sido descoberto no início do século XX, foi somente no ano 2000 que pesquisadores confirmaram a existência na língua humana de um receptor específico para esse sabor.

A descrição desse gosto é denso, profundo e duradouro que produz na língua uma sensação aveludada. É composto por três substâncias presentes em diversos alimentos: glutamato, inosinato e guanilato.

Como falei acima, o Desery está a pleno vapor. Além da loja original da Asa Sul e em Foz do Iguaçu, abrimos a terceira filial em Águas Claras, e é provável que inauguremos uma quarta em Curitiba. A nossa família não tem o que reclamar, estamos conseguindo viver do que gostamos – gastronomia.

Porém, o que eu realmente quero escrever nesse espaço do diário são as situações de todos os envolvidos nessa parte da minha história, enquanto ouço *Love Is Stronger Than Pride*. Faço isso agora, pois não quero mais mexer no diário. Virei a página.

Avós maternos: eles vieram te visitar uma vez em 2013 e você foi outra vez para lá no verão de 2014. Porém, algo aconteceu e você não quis me falar, pois quando voltou do Espírito Santo estava estranha e nunca mais quis visitá-los. Na época, fiquei preocupado que tivesse acontecido abuso sexual, mas depois de vários exames, que a obriguei a fazer, essa hipótese foi abandonada. Tentei fazê-la falar, mas você sempre se esquivava das perguntas. Como sei que quando sofremos *bullying*, falar sobre o assunto é uma das últimas coisas que queremos fazer, nunca mais perguntei. Até hoje você não voltou lá e nem eles voltaram. Raramente eles telefonam. A verdade é que não temos mais nenhum contato com ninguém daquela família, o que para mim é ótimo.

Humberto Oliveira: o suspeito de ter matado a sua mãe também sumiu de nossas vidas, mas nesse caso foi em definitivo. No final de 2014, ele se matou quando descobriram que seu passado era criminoso. Ele já havia sido acusado de molestar dois adolescentes quando estava na faculdade, e esse caso havia sido arquivado. Perto do seu julgamento, Humberto, que já estava mergulhado nas drogas e sozinho na vida, até me procurou, mas o ignorei. Devido a isso, ele chegou a me ameaçar, mas na verdade nem liguei muito. Ele morreu com uma overdose de estricnina e cocaína.

Jeremias Horácio: aluno da ECCC que sofreu sequestro relâmpago na época da "maldição da turma de 1998 da ECCC"; esse nunca mais ouvi falar.

Mimi Leocádio: outra irrelevante da ECCC que morreu num acidente de carro em 2012, até hoje continua sendo um crime sem solução.

Luca Manoel: o terceiro irrelevante na maldição; continua em seu ostracismo no Rio de Janeiro. Ninguém liga.

Charles Rodrigues e **Jacques Luís**: dupla nota dez da

polícia de Brasília. Eles sempre pegaram os meus depoimentos. Apesar do Charles fazer o papel caricato de *bad cop*, Jacques é quem nitidamente me fazia uma acusação silenciosa. Nunca mais encontrei o Charles, mas "acidentalmente" já encontrei mais de cinco vezes o Jacques. Sempre nos encontramos em horários e locais diferentes, como no Parque da Cidade, no cinema no Park-Shopping, no Ceasa, além de ele ir algumas vezes no Umami. Nunca perdi a paciência com ele, eventualmente o cumprimentei e em outras, fingi que não o vi. No começo, eu ficava preocupado, mas depois passei a relevar a presença dele.

Vagner Maynard: Nunca mais ouvi falar nada da morte dele, foi conclusivo que ele morreu devido ao uso de drogas. Porém, o amigo com o qual uma vez o vi almoçando veio até o nosso restaurante em Foz. Muita coincidência. Apesar de ele não aparentar perigo algum, não gosto da presença daquele cara.

Juscelino Silva: continua como morte natural. Esse não me preocupa.

Lúcia Silva: até hoje o corpo não foi descoberto. A polícia diz que as investigações continuam, mas não vejo nenhum avanço. Assim que perceberam que ela estava desaparecida, começou a comoção local. Conseguiram achar o taxista que a levou até Pirenópolis. Ele prestou depoimento, apesar de não ter acrescentado nada além do básico, afirmando que a levou até lá, mas que não tinham conversado e não viu quem estava com ela. Também prestei depoimento, devido aos meus contatos com ela. Expliquei que era contato profissional, falei sobre a minha vontade de dar aula, sobre o restaurante. Não tinha álibi para o dia do sumiço, falei que estava em casa. Não tinha como provar o contrário, as câmeras do prédio já haviam sido deletadas, pois só vieram pegar meu depoimento quase dois meses depois do ocorrido, e os HDs das câmeras são atualizados a cada vinte dias. Fiquei sabendo que um dos amantes de Lúcia, conhecido como Zecão, tinha o passado violento. Até a empregada Lurdinha falou que já o tinha vista bater em Lúcia. Zecão não tinha álibi. Acredito que ele deve ser o principal suspeito, e viajava com frequência para Pirenópolis.

Patrícia Hiroshi: um traficante da Vila Planalto, Fabinho "Boa Pinta", foi condenado pela morte da Patrícia. Pelo menos consegui tirar outro elemento ruim do convívio das pessoas de bem, dupla vitória para mim. Processo concluído, então, sem mais preocupações, filha.

Clara Araújo: quando encontraram um corpo carbonizado na estrada, dois dias após eu tê-la assassinado, a notícia se espalhou em todos os jornais; principalmente nesses jornais *popularescos*, em que o apresentador fala igual a um retardado. Dessa forma, a repercussão do crime foi maior ainda. Logo identificaram o corpo, pois ela já era dada como desaparecida. Por morar numa área nobre de Brasília, o crime logo foi "solucionado". Encontraram o carro dela na Cidade Ocidental, em Goiás. O comprador explicara que comprou na Ceilândia, e assim a polícia foi apertando todo mundo até chegar ao *playboy* da Asa Norte que roubou o carro no *deck* da Asa Norte. Primeiramente, ele foi acusado pelo roubo, e só depois pelo assassinato. No passado, ele já tinha sido acusado de tentativa de homicídio. No depoimento, ele afirmou que alguém havia deixado o carro dela no *deck* com a porta aberta. Ele falou que não conseguia reconhecer a pessoa, pois estava escuro e ele estava longe do carro. Porém, ainda assim, tive que prestar depoimento, pois havia ligações minhas para ela. Novamente expliquei que eram ligações profissionais, pois ela estava me ajudando na inauguração do restaurante e que não considerei estranho ela não ter aparecido, pois tinha outro compromisso na noite de inauguração. Aparentemente nada me leva até ela. Mas era chato ter que ir à polícia com frequência para falar da morte desses estrumes.

André Antenor: em junho de 2014, descobriram o corpo dele, a identificação só foi feita em setembro. A polícia americana emitiu uma nota que esclarecia que eles estavam investigando o caso, mas, com o passar do tempo, pouca coisa poderia ser feita. Porém, eles tinham uma lista de suspeitos, americanos e brasileiros. Até hoje não chegou nenhuma notificação na nossa casa. O que me preocupa é que depois da descoberta da morte dele fiquei sabendo da existência de Franklin Braun, detetive particular contratado pelo marido do André, Ethan Hobbs. Braun falou que tinha a lista de três principais suspeitos, sendo dois brasileiros, e um deles morava no Brasil. Até hoje me preocupo com isso, apesar de, quase dois anos após a descoberta do corpo de André, nunca ninguém ter vindo me procurar.

Filha, não existe crime perfeito, mas existe competência de um lado e incompetência do outro. Por isso, a minha preocupação é quase nula sobre um dia ser descoberto. Continuamos sendo uma família feliz e de moral ilibada.

EDITORA PENDRAGON

Conheça nosso catálogo.

Vendas: loja.editorapendragon.com.br